P9-DTN-651

ЛЕОНИД
ЮЗЕФОВИЧ

МАЯК НА ХИЙУМАА

Леонид Юзефович

Маяк на Хийумаа

Редакция Елены Шубиной
Издательство АСТ
Москва

УДК 821.161.1-32
ББК 84(2Рос=Рус)6-44
Ю20

Художник Андрей Бондаренко

Юзефович, Леонид Абрамович.

Ю20 Маяк на Хийумаа : [рассказы] / Леонид Юзефович. — Москва : Издательство АСТ : Редакция Елены Шубиной, 2018. — 314, [6] с. — (Проза Леонида Юзефовича).

ISBN 978-5-17-108028-0

В новой книге Леонида Юзефовича — писателя, историка, лауреата премий "Большая книга" и "Национальный бестселлер" — собраны рассказы разных лет, в том числе связанные с многолетними историческими изысканиями автора. Он встречается с внуком погибшего в Монголии белого полковника Казагранди, говорит об Унгерне с его немецкими родственниками, кормит супом бывшего латышского стрелка, расследует запутанный сюжет о любви унгерновского офицера к спасенной им от расстрела еврейке... Тени давно умерших людей приходят в нашу жизнь, и у каждой истории из прошлого есть продолжение в современности.

УДК 821.161.1-32
ББК 84(2Рос=Рус)6-44

ISBN 978-5-17-108028-0

СОДЕРЖАНИЕ

ТЕНИ И ЛЮДИ

РАССКАЗЫ РАЗНЫХ ЛЕТ

ТЕНИ И ЛЮДИ

Маяк на Хийумаа

1

Их было шестеро из полусотни с лишним рассеянных по лицу земли членов фамильного союза баронов фон Унгерн-Штернбергов: похожий на школьного учителя берлинский бизнесмен со взрослым сыном, тоже бизнесменом, немолодая медсестра из Мюнхена, профессор кафедры античной истории из университета в Базеле и двое дипломатов — действующий и отставной. Первый, в простецком пуловере поверх рубашки, улыбчивый, но молчаливый, возглавлял департамент МИД ФРГ по делам ООН и глобальным вопросам; второй, элегантно и строго одетый, в начале 1990-х был германским послом в Эстонии.

Фамилия была одна на всех. При знакомстве она опускалась, мне называли только имена. В немецком произношении они звучали непривычно, к тому же у большинства были двойные; я немедленно их забывал, но переспрашивать стеснялся, надеясь узнать и запомнить позже. Имя бывшего посла показалось мне длиннее, чем у остальных. Это был высокий человек лет семидесяти пяти, но совсем не старик. Темные волосы лишь на висках тронуты сединой. Массивное лицо с крупной нижней челюстью, точный взгляд слегка выцветших голубых глаз — такими я рисовал себе презирающих фюрера генералов вермахта из старинных дворянских семейств. С моим Унгерном — ничего общего. Меня представили ему как автора книги о самом известном из его родственников, но ни моя книга, ни я сам не вызвали у него никакого интереса.

С членами фамильного союза я познакомился в декабре 2011 года, в Берлине на презентации 50-минутной программы об Унгерне, незадолго до того выпущенной в эфир на государственном немецком радио. Бароны почтили ее своим присутствием, поскольку событие было знаковое: этот представитель их рода, юдофоб и протофашист, в Германии считался фигурой не то чтобы запретной, но лишний раз о нем старались не вспоминать.

Подготовил программу мой давнишний друг Марио Банди, сын знаменитого у себя на родине монгольского оперного певца и русской преподавательницы фортепиано в музыкальном училище Улан-Батора. Имя Марио он получил в честь какого-то отцовского коллеги из Ла Скала, а звучавшая в унисон с именем фамилия, обманчиво напоминающая итальянскую, для знающих людей свидетельствовала о том, что он ведет происхождение от переселившегося некогда из Тибета в Монголию буддийского святого — пандита. Всем новым знакомым Марио объяснял, почему при внешности хана-чингизида его так зовут, хотя обычно никто не спрашивал. Оперный режиссер по профессии, выпускник Ленинградской консерватории, он после безуспешных поисков работы на обеих своих родинах перебрался в Германию и в конце концов стал радиожурналистом.

Его мать была родом из Перми, более того — из моего родного поселка Мотовилиха при пушечном заводе; мальчиком он каждое лето жил там на каникулах у дедушки с бабушкой. Мотовилиху от собственно Перми отделял глубокий и дикий, по моим детским понятиям, овраг, или, как говорят на Урале, лог, — с кладбищем на городской стороне и пустырем на нашей. Здесь, как три богатыря на краю половецкого поля, стояли три пятиэтажных дома, построенные в конце 1930-х для инженеров и рабочих-стахановцев. Они имели номера 26, 27 и 28, причем третий располагался между первым и вторым. Это, по-видимому, отражало последовательность их появления на свет. Наш адрес на конвертах надо было писать так: “Ул. Культуры, каменный дом № 27”, а то письмо могло и не дойти: под тем же номером на той же улице числились еще заводской барак и частный пятистенок из когда-то существовавшей на этом месте деревни. Дед и бабушка Марио жили в № 28, но он из Улан-Батора писал им письма уже без обязательного в моем детстве указания на материал, из которого построен дом. Он был намного младше, в его времена нумерацию упорядочили.

Впервые мы с ним встретились в Петербурге. Гуляли, пили кофе, говорили о Монголии, об Унгерне, и когда вдруг обнаружилось, что наше детство прошло в соседних домах, Марио это поразило сильнее, чем меня. Я давно знал, что на магистральном течении нашей жизни совпадения и случайности превышают норму.

Нарядный Марио стоял у входа, встречая гостей. Хозяином праздника ему удавалось побыть нечасто, в этой роли расцвела его примятая обстоятельствами жизни артистичность, от которой у меня всегда теплело на сердце.

— Он очень волнуется, — доверительно сообщила мне его жена Надя.

По радио программу об Унгерне прослушали в основном домохозяйки. Марио надеялся привлечь к ней внимание людей, способных дать ему денег на съемки документального фильма о том же герое. Инвесторами могли стать баронский союз, какая-нибудь компания, имеющая интересы в Центральной Азии, или один из востоковедческих центров с уклоном в геополитику; с этим прицелом и рассылались приглашения, но, к огорчению Марио, бóльшую часть гостей составили травоядные члены общества “Монголия–ФРГ” и представители монгольской диаспоры. Среди них затесались русские эмигранты по еврейской линии и неизбежные на таких мероприятиях фрики. Средних лет женщина щеголяла в серебристом эльфийском плаще с портретом Далай-ламы на спине; другая, постарше, в обобщенно-балканском наряде, диковато смотревшаяся рядом с цивильными монголами, совсем уж не по теме агитировала за выход Болгарии из Евросоюза. Реагировали на нее слабо.

Презентация проходила в культурном центре при монгольском посольстве, он же — галерея обосновавшегося в Берлине художника Отгонбаяра: вестибюль с раздевалкой и большой зал. Я прошел туда с Надей.

На стене висел экран для демонстрации слайдов, перед ним — ряды невесомых пластмассовых стульев. Вокруг теснились полотна хозяина. Все они иллюстрировали популярный в стране Чингисхана слоган, встречающий туристов в аэропорту Улан-Батора: "Монголия — единственное место на земле, не испорченное человеком". Степь, горы, необъятное небо, много лошадей, поменьше верблюдов. Овец мало, людей вообще нет. Все выполнено рукой профессионала, но в простодушной манере художников из народа, которые берутся за кисть после выхода на пенсию. Зрелый мастер, он вовремя осознал, что умиление — товар более ходкий по сравнению с любовью.

— А посольство не может дать денег на фильм? — спросил я у Нади.

— От них дождешься, — ответила она. — Хорошо, помещение для презентации предоставили бесплатно.

Появился ее муж. Самых важных гостей он встретил и послал Надю встречать остальных.

— Жаль, мало, — сказал Марио, по-хозяйски оглядывая пятерых баронов и одну баронессу. — Собирались приехать еще трое, один из Швеции.

— Их полсотни с чем-то, — вспомнил я им же и названную мне цифру. — Ты, что ли, со всеми списывался?

— Зачем? Только с председателем союза. Я действовал через него.

— А кто у них председатель?

— Юрген, я тебе уже говорил, — кивнул Марио на профессора из Базеля.

Он больше других походил на моего Унгерна, если бы тот дожил до предпенсионного возраста, правильно питался и вообще заботился о здоровье. Такой же рыжеватый блондин, чуть курносый, сероглазый. Взгляд, правда, не тот.

— Похож, — признал Марио. — Они с нашим Унгерном из одной ветви, только Юрген из ее лифляндского отростка. Из эстляндских у меня один Роденгаузен.

— Кто-кто?

— Хеннинг-Максимилиан фон Роденгаузен. Унгерн-Штернберг он по маме. Я его лично по телефону уговаривал, не через Юргена. Не хотел идти.

— Потому что по маме?

— Ну прямо! У них в союзе таких полно. Хотя большинство по отцу, конечно.

— Тогда почему не хотел?

— Черт его знает. Уперся, и все, не сдвинешь.

— И не пришел?

— Что значит не пришел? Вон стоит, — глазами указал Марио на бывшего посла в Эстонии, державшегося отдельно от компанейских родственников. — Я же тебя с ним знакомил.

— Прости, не расслышал фамилию.

— Роденгаузен, — по слогам повторил Марио. — Я ему вначале не догадался сказать, что будет Михель. Потом перезвонил, говорю: будет Михель. После этого он тоже обещал прийти. А так — ни в какую. Без объяснения причин.

— Подожди! — запутался я. — Кто из них Михель?

— Который из МИДа, по связям с ООН. В пуловере. Нашему Унгерну он не самая близкая родня. Генеалогически Роденгаузен нашему ближе всех.

— По нему не скажешь, — заметил я.

— Отцовская кровь пересилила материнскую, — сказал Марио. — Как во мне.

Он объяснил, что это важнейшая в баронском союзе фигура. Юрген работает да еще и живет на отшибе, в Базеле, а Роденгаузен в отставке, делать ему нечего. Он редактирует союзный бюллетень, а сейчас занят подготовкой очередного съезда.

— Членские взносы тоже он собирает? — съязвил я.

Марио криво улыбнулся, показывая, что оценил мой юмор, но считает его несвоевременным.

— Пожалуйста, прояви к нему внимание, — попросил он. — Я на него рассчитываю.

— В смысле денег на фильм?

— Да, надо, чтобы он поддержал мою заявку. У него есть выход на один фонд, который их финансирует.

Гости тем временем начали рассаживаться. Бароны устроились все вместе, кроме Роденгаузена. Он сел в том же втором ряду, но между ним и ближайшим к нему берлинским бизнесменом, который уже не казался мне похожим на педагога, оставалось два свободных стула. Бизнесмен занял место слева от Михеля, его взрослый сын и коллега — справа.

Я сидел между Надей и подружкой Марио, монголисткой Викой из Карлова университета в Праге. Вообще-то она была ленинградка, но давно жила в Чехии. Марио там с ней и познакомился на какой-то монголоведческой сходке. Вика привезла с собой двоих детей, дочку лет десяти и сына года на три помладше. Они чинно восседали рядом с ней и бойко трещали по-чешски. Оба узкоглазые, в синих дэли. Я был уверен, что папа у них монгол, но Надя сказала, что нет, муж Вики — вьетнамец.

Первым выступил монгольский культурный атташе, спортивный молодой человек в дорогом костюме. Его немецкий я оценить не мог, но говорил он без шпаргалки. В мучительно длинном приветственном слове, которое с пятого на десятое шепотом переводила мне Надя, он на разные лады заверил собравшихся, что Монголия твердо встала на путь демократического развития и ни при каких обстоятельствах с него не свернет.

После аплодисментов Марио объявил программу вечера: прослушивание радиопередачи, сопровождаемое показом слайдов, потом посвященная ее герою небольшая научная конференция, потом фуршет. Он включил звук, приглушил свет и пристроился за ноутбуком, чтобы переключать слайды. Из динамика полилась музыка, в ней прорезалась немецкая речь. Надя опять зашептала мне в ухо, но я ее остановил и отдался созерцанию возникающих на экране фотографий.

На снимках было все то же самое, что на картинах Оттонбаяра, но от них замирало сердце, как на краю бездны. Неземные гобийские пейзажи говорили о том мире, каким он был до появления человека или станет после его исчезновения. Дальше к северу среди лошадей и верблюдов появились и люди: мальчик на придорожном развале продавал бюст Сталина с выраженными монголоидными чертами, суровые номады ехали по степи, уткнувшись в экраны мобильников, пурпурнощекая от молочного диатеза девочка кормила вставших на задние лапы, а передними вцепившихся ей в подол тарбаганов. Снимал сам Марио. Фотограф он был прекрасный. Я не сомневался, что фильм выйдет у него еще лучше, ведь он мог быть сценаристом, режиссером, звукорежиссером, оператором и научным консультантом в одном лице, но денег ему никто не давал.

Еще позже пошли архивные фото князей Халхи, лам, женщин с прической в виде рогов буйволицы, разрушенных после революции буддийских монастырей. Дольше других задержались изображения самого Унгерна, а в финале как итог всей его эпопеи выплыл и уже не уходил до конца передачи верещагинский "Апофеоз войны". На фоне черепов промелькивали темные силуэты русско-вьетнамских детей в монгольских халатиках. Устав сидеть, они носились по залу, иногда пробегая между экраном и Марио. Вика делала вид, будто ее это не касается.

После короткого перерыва началась конференция. Докладчиков было всего трое: председатель баронского союза, Вика и я. Марио опасался утомить публику. Юрген, предусмотрительно севший с краю, вышел к потухшему экрану, и пока Марио перечислял его научные регалии, стоял с виноватой улыбкой на румяном лице. Он рассказал о родословной Унгерна. Надя успела сообщить мне название доклада, но тут ее попросили помочь с фуршетом, а без нее в десятиминутной лекции я понял лишь имена собственные.

Юргена сменила Вика, в перерыве успевшая переодеться в такой же, как у ее детей, дэли с широким и плотным желтым поясом. Он, как считается, предохраняет монголов от радикулита. Туфли остались прежние, на каблуках.

Свой доклад Вика посвятила образу Унгерна в монгольском песенном фольклоре. На этом языке она и говорила, вернее, читала, изредка отрываясь от текста и проверяя реакцию зала. Девушка из посольства переводила на немецкий, Марио ее контролировал. Надя не появлялась, и о фольклорном образе барона я узнал не больше, чем о его родословной.

Позже, на фуршете, Вика призналась мне, что об Унгерне у монголов есть единственная песня, и то непонятно, сложилась ли она в толще народной или ее занес туда какой-нибудь профессиональный стихоплет — из Улан-Батора в лучшем случае. В худшем — из Улан-Удэ. Все бурятское у монголов идет вторым сортом, и Вика, чтобы не осложнять себе жизнь, научилась смотреть на вещи глазами своих информантов.

2 Я выступал на русском. Марио переводил, подавая мне знаки, когда прерваться, чтобы он не упустил подробности. Тему доклада мы с ним выбрали позанимательнее, с учетом

аудитории: “Мифы об Унгерне как исторический источник”.

Я пересказал две жутковатые легенды о нем, после чего на фактах показал, насколько мало в них правды, и в то же время как идеально укладываются они в логику его характера и в историю его жизни. Смысл был тот, что миф — проекция реальности, вынесенная за ее пределы; там человек обращается в тень, но действует так же, как во плоти. Его поведение в этой роли многое объясняет в нем живом.

При знакомстве Роденгаузен не счел нужным прикрыть свое безразличие ко мне сколько-нибудь любезной улыбкой, но сейчас посматривал на меня с интересом. Я ловил на себе его взгляд в те моменты, когда говорил сам, а не когда вступал Марио. Это наводило на мысль, что он понимает по-русски.

Берлинский бизнесмен дважды что-то шепнул невозмутимому Михелю, но тот ни разу не ответил. Медсестра грызла шоколадку. Она приобрела ее на лотке, который в перерыве развернула у входа в зал предприимчивая дама из монгольской диаспоры.

Регламент был десять минут. Я уложился в восемь и уже хотел вернуться на место, когда поднялся бизнесмен.

— Подожди! Есть вопрос, — оживился Марио, до этого напрасно взывавший к залу с предложением задавать вопросы Юргену и Вике. — Известно тебе что-нибудь о бароне Отто-Рейнгольде-Людвиге Унгерн-Штернберге?

Я ответил, что да, это прапрадед нашего Унгерна. В конце XVIII века он владел поместьем на балтийском острове Даго, по-эстонски — Хийумаа.

Бизнесмен этим не удовлетворился.

— Спрашивает, — сказал Марио, — знаешь ли ты историю с каким-то маяком. Не расслышал название.

— Дагерорт? — спросил я.

Бизнесмен закивал.

Я объяснил, что с этого маяка барон в штормовые ночи подавал ложные сигналы. Обманутые капитаны брали неверный курс, корабли налетали на прибрежные утесы и разбивались. Спасшихся моряков убивали, судовой груз становился добычей барона.

Зал притих. Дочь Вики нашла пустой стул, села, не спуская с меня глаз, и притянула к себе брата. Мать все-таки научила девочку родному языку.

— В конце концов преступника разоблачили, — порадовал я ее, — судили и сослали в Сибирь. Там он и умер.

Бизнесмен торжествующе улыбнулся.

— Говорит, это миф, — доложил мне Марио, тоже улыбаясь в предвкушении очень украсившей бы нашу конференцию небольшой дискуссии, и начал переводить синхронно.

В его изложении сказано было следующее: один исследователь изучил материалы судебного процесса и пришел к выводу, что барон невиновен, его оговорил сосед по имению. Они враждовали из-за спорных земель на границе их поместий. Соседа поддержал его друг, эстляндский генерал-губернатор, поэтому судьи побоялись оправдать подсудимого. Миф о мнимом преступнике распространился по Европе, о бароне писали как о величайшем злодее своего времени, хотя на самом деле он окончил Лейпцигский университет, был гуманный человек, уменьшил арендные платежи с крестьян, построил для них церковь с органом.

— В мифе его облик искажен. Точно так же не следует судить об Унгерне по легендам о его жестокости. Их обоих оклеветали. Одного — губернатор, другого — большевики, — закончил Марио и выжидательно взглянул на меня.

Вообще-то история с маяком была мутная. Я пробовал в ней разобраться, когда писал свою книгу, но так и не понял, как там все обстояло на самом деле. Меня это занимало не само по себе, а лишь в связи с тем, что Унгерн гордился предком-пиратом и считал себя чем-то вроде его реинкарнации.

— Спроси у него, — велел я Марио, — почему в этом случае все с такой легкостью поверили в злодейство барона.

Марио спросил и передал ответ:

— Такова человеческая природа. Люди всегда готовы поверить, что лучшие из них лишь притворяются хорошими.

Я согласился, но сказал, что добропорядочность бывает не более чем маской, а Даго, он же Хийумаа, — остров маленький, все друг про друга всё знают. Вероятно, там знали за бароном какие-то другие преступления, которые ему удалось скрыть от правосудия, в результате подача им ложных сигналов воспринималась как нечто вполне естественное. В этом мифе Отто-Рейнгольд-Людвиг остался самим собой, как его праправнук — в сложенных о нем легендах.

Аргументация была не бесспорной. Бизнесмен дернулся было возразить, но публика уже вставала с мест. Когда мы с Марио вышли в вестибюль, все возбужденно толпились возле двух столов с вином и закусками, но энтузиазм угасал на глазах. Оказалось, то и другое надо покупать, причем недешево. На бесплатный фуршет посольство не раскошелилось.

Я взял три бокала вина — себе, Наде и Марио. Он отвел нас к окну.

— Поздравляю, — сказал я. — По-моему, все прошло отлично.

Марио пригубил и ушел с полным бокалом, чтобы чокнуться с нужными людьми.

Надя тоже скоро меня покинула. Как хозяйка вечера она сочла долгом заняться детьми Вики. Их мать, практикуясь в разговорном монгольском, кокетничала с культурным атташе, а дети неприкаянно бродили по залу. Через пару минут я увидел их с бутербродами в руках.

Ко мне подошел Роденгаузен. Бокал воды без газа он держал на отлете, словно в нем пенилось шампанское, брызгами бьющее ему в нос. В другой руке у него была салфетка.

Я, насколько хватало моего английского, похвалил ему Марио за чудесный сегодняшний вечер.

В ответ он без усилия, хотя и с акцентом, предложил говорить по-русски. Я сделал радостно-изумленное лицо, но Роденгаузен дал мне понять неуместность этой гримасы.

— Я видел, во время доклада вы поняли, что я вас понимаю. Посол в Эстонии должен знать не только эстонский язык. Русский тоже.

— Вы его тогда и выучили?

— Нет, моя семья происходит из Таллина. До войны в Таллине жило много русских эмигрантов. Я играл с их детьми. Я старше, чем вы думаете.

Фразы были короткие, но чувствовалось, они рождаются у него такими, как я их слышу, а не складываются сначала по-немецки.

Он протер салфеткой края бокала, отпил глоточек воды.

— Хочу вас немного поправить. Маяк в те времена — большой костер на башне. Можно зажечь, можно не зажечь, но подавать с его помощью ложные сигналы нельзя. Это выдумка поэтов и романистов, плохо знакомых с морским делом. Барона обвиняли в том, что он зажигал костры в других местах, чтобы капитаны принимали их за свет маяка. Таким образом он и направлял корабли на скалы, но на суде это не смогли доказать. Вы правильно заметили: все всё знали, но доказательств не было. В итоге пришлось вмешаться губернатору. Были бы доказательства, барона заточили бы в крепость, а не сослали в Тобольск.

Мы стояли у окна, выходившего в темный двор. Зима выдалась необычайно теплой даже для Германии. Под Рождество листва на деревьях еще не облетела, на газонах зеленела трава. В зале было душновато, и кто-то приоткрыл фрамугу. Едва ощутимый сквознячок сочился из полоски заоконной темноты.

Четверо баронов и баронесса тесным кружком расположились в другом конце зала. Никто к ним не подходил. Бокал с вином имелся только у сына моего оппонента, тарелка с едой — только у медсестры. Остальные ничего не ели и не пили, кроме воды. У Михеля и воды не было.

— Здесь все очень дорого, — сказал Роденгаузен, заметив, что я смотрю в их сторону.

— Марио мне говорил, вы не хотели сегодня приходить. Есть причина? — спросил я.

— Есть, — не стал он отрицать. — С вашим Унгерном у меня общие предки, но я не большой его поклонник. Я пришел, чтобы не обижать Михеля. Михель — мой друг.

Следующий вопрос напрашивался, но задать его я решился не сразу.

— Почему же вы весь вечер держитесь в стороне от него?

Роденгаузен в замедленном темпе повторил операцию с салфеткой, отпил еще глоток, такой же микроскопический, как первый. Он размышлял, стоит ли отвечать, наконец все-таки ответил:

— Рядом с Михелем постоянно находится один человек. Он из тех, кто преклоняется перед вашим героем. Я не очень люблю таких людей.

Ясно стало, что речь идет о берлинском бизнесмене.

— Я думал, вы тоже из них, но после вашего доклада переменил мнение, — договорил он. — Не понимаю, для чего вам понадобилось писать книгу о Романе.

Резануло слух, что при нелюбви к Унгерну он назвал его по имени. Впрочем, все они называли друг друга по именам. Мертвые были членами их союза наравне с живыми.

— Он интересен мне как историку, — привычно объяснил я, хотя это была лишь часть правды, небольшая и не самая важная.

— Вам не кажется, что он заслужил свою участь?

— Так можно сказать о каждом.

Он кивнул.

— Это правда. Спрошу по-другому: какие чувства вы к нему испытываете?

Его предыдущие вопросы мне часто задавали другие, а этот я ставил перед собой сам, но так и не нашел ответа. Что я мог ему сказать? Я, еврей, написавший об убийце евреев. Что в молодости, подхорунжим Забайкальского казачьего войска, Унгерн возил с собой труды по философии, разрывая их на части, чтобы удобнее было уложить в седельную суму и читать в седле? Что на допросе в плену назвал марксизм религией без бога и сравнил его с конфуцианством? Что он не верил в Бога, но верил в судьбу, потому что если она есть, значит, мы не так безнадежно затеряны в этом страшном мире, как если бы ее не было?

Я начал говорить об отвращении, смешанном с восхищением и переходящем в жалость, когда после мятежа в Азиатской дивизии Унгерн превращается в одинокого затравленного волка; о том, как трудно отделить в нем мечтателя от воина, воина — от палача.

— Антисемит и садист. Зря вы его идеализируете, — прервал меня Роденгаузен.

Тут же, видимо, он пожалел о своей резкости и другим тоном спросил:

— Вы ведь не бывали на Хийумаа?

Круг замкнулся. Возвращение к прежней теме предвещало конец разговора.

— Нет, — честно признался я.

— Это видно.

— Каким образом?

— Поезжайте туда и сами поймете.

Передо мной вновь стоял похожий на генерала вермахта старый карьерный дипломат с безразличным взглядом. Он вдруг потерял ко мне интерес. Вежливо простился, но руки не подал, поставил бокал с водой на подоконник, точным движением уронил в него салфетку и направился к выходу.

3

Через полчаса мы с Марио и Надей вышли на улицу. Марио жадно закурил.

— Я видел, ты стоял с Роденгаузеном, — сказал он. — Что он тебе сказал?

Я стал объяснять, что Унгерна он терпеть не может, бесполезно просить у него денег, но умолк, почувствовав сквозь куртку, как палец Нади предостерегающе вжался мне в межреберье. Рушить иллюзии мужа позволено было только ей.

Завернули в соседний ресторанчик.

— Удалось еще с кем-то поговорить насчет фильма? — спросил я, когда выбрали столик и сделали заказ.

— А-а! — поморщился Марио.

— А конкретнее?

— Обещали подумать и разузнать. Это значит, ничего не будет. Немцы никогда прямо не отказывают.

— Может, они в самом деле подумают и разузнают?

— В этом случае назначили бы, когда позвонить. А так — пустой номер. Меня на радио давно пора взять в штат, и они вроде не против. Уже три года думают и разузнают.

Мы с Надей пили красное вино, Марио — виски. На третьей порции он вспомнил:

— Один дед — монгол, другой — русский. А болезнь у обоих была одна.

Его ноготь выразительно щелкнул по краю стакана.

— Возвращайся в Россию, — предложил я.

— Куда? В Мотовилиху?

— Зачем в Мотовилиху? В Москву, в Питер.

— Кому я там нужен!

— Ну, в Монголию. В Улан-Батор.

— Вообще не вариант. Я и монгольский-то плохо знаю. Учился в школе при советском посольстве, дома говорили по-русски. Лучше уж здесь. Тут хоть у Нади работа есть.

Они познакомились в Якутске, где он после консерватории пару месяцев проработал режиссером в театре оперы и балета, пока его не уволили по сокращению штатов. По профессии Надя была коллегой мюнхенской баронессы и устраивала в немецкие клиники тех, кто приезжал на лечение из России. Главным образом онкологических больных.

— Она слишком к ним привязывается, — переключился Марио на ее проблемы. — Жалеет их, опекает как детей, а в итоге они наглеют и шагу без нее ступить не хотят. Им удобно считать, что они друзья, это все по-дружески. Чуть что, звонят: приезжай. Она и летит. То купить что-нибудь, то проконсультировать, то перевести. Много времени уходит на каждого. Это отражается на заработке.

— Я по-другому не умею, — сказала Надя.

Ее рука лежала на столе. Марио прикрыл ее своей ладонью. Она перевернула кисть, и их ладони легли одна в другую. При кажущейся невинности жеста это выглядело настолько интимно, что захотелось отвернуться.

Принесли горячее. Настроение у Марио улучшилось, он стал рассказывать, как в Якутске ставил "Риголетто" и на репетиции женщины-хористки жестоко измывались над молодым режиссером — капризничали, не желали выполнять его указаний, наконец, вовсе отказались петь под предлогом, что сверху, из-за колосников, страшно дует, они могут простудиться и потерять голос. В отчаянии Марио рванул наверх, взлетел по винтовым лестницам, отыскал какой-то открытый люк, способный служить источником губительного для их голосовых связок сквозняка, неимоверным усилием, как если бы от этого зависела его жизнь, опустил тяжелую крышку, сильно ободрав себе кисть, зажал рану носовым платком и вернулся на сцену. Платок мгновенно намок кровью. Сквозняк то ли прекратился, то ли его и не было, но жертвенная кровь умилостивила злобных якутских фурий. Хористки сбегали в медпункт за бинтами и йодом, перевязали руку и до конца репетиции беспрекословно ему повиновались. Репетиция прошла идеально.

— Выстраиваю мизансцену, — рассказывал Марио, — а в голове прокручивается: “Дело прочно, когда под ним струится кровь. Дело прочно...” Никак не могу остановить эту пластинку.

Надя перестала жевать. Она раньше меня сообразила, куда заворачивает эта приключившаяся с ее мужем смешная история со счастливым концом.

— С фильмом та же ситуация, — весело сказал он. — Требуется пролить кровь? Пожалуйста, всегда готов. Из руки, из ноги, откуда угодно.

— Желудочное кровотечение из твоей язвы годится? — спросила Надя.

— Да, — спокойно подтвердил Марио. — Только где? Когда? Перед кем? Ты знаешь?

Он ушел в туалет. В его отсутствие я заплатил по счету, и мы двинулись к подземке. Они поехали к себе на съемную квартиру, я — в относительно дешевую гостиницу, занимавшую пол-этажа в офисном здании. Надя селила здесь своих пациентов. Пока они лежали в клинике, их родственники жили тут неделями, благо номера были домашнего типа, с кухней, чтобы они могли что-то себе сварить, а не тратить деньги по кафе и ресторанам. Потом больные ездили отсюда на химиотерапию или набирались сил перед обратной дорогой. На всю гостиницу была одна горничная, уборку делали редко и не очень тщательно. След беды обнаруживался то в пустой упаковке от одноразового шприца, завалявшейся в ящике кухонного стола, то в выдутом вентиляцией из-под дивана клочке ваты с буро-желтыми пятнами.

4

На Хийумаа я попал осенью следующего года. Из Таллина мы с женой на автобусе приехали в Хаапсалу, а оттуда час или чуть дольше плыли на пароме до городка Кярдла, островной столицы с тремя тысячами жителей. Когда-то местечко называлось Кертель; дед Унгерна по отцу, которому Отто-Рейнгольд-Людвиг, в свою очередь, приходился дедом, управлял здесь семейной суконной фабрикой, но навещал ли его внук, неизвестно. Внуков у него была чертова уйма.

В Кярдла выяснилось, что маяк Дагерорт, по-эстонски — Кыпу, расположен в сорока километрах отсюда, на противоположном краю острова. Остров оказался больше, чем я предполагал. Маршрутки в ту сторону ходили два раза в сутки, и оба рейса мы уже пропустили. Решили добираться на попутках, но редкие машины или пролетали мимо, или вскоре сворачивали с трассы. На дорогу ушло полдня. Последние километров десять нас провез добрый человек, у которого не только багажник, но и салон были набиты купленными в Таллине рулонами линолеума для его дома. Рулоны, место которых мы заняли, пришлось держать на коленях.

Был сентябрь, темнело рано. На маяк уже не пускали, водитель высадил нас на дороге в полутора километрах от него и показал, как дойти до единственного поблизости гостевого дома. Мы подошли к нему на границе сумерек и темноты.

Сезон заканчивался, ни одно окошко не светилось в двух предназначенных для туристов летних домиках, но под окнами и стеклянными дверьми третьего, более основательного, на траве лежали бледно-желтые прямоугольники. В нем размещались офис и столовая. Здоровенный молодой мужчина по имени Рихо, сносно говоривший по-русски, пообещал нам на ужин рыбу с картофельным пюре и вручил ключ от комнаты.

Он же нас и проводил. По пути мы узнали, что в прошлом он баскетболист, о чем можно было догадаться по его росту, легкости походки при весе под сотню килограммов, мощной сутулой спине и громадным кистям длинных рук. В очерченном ими кругу, включавшем в себя все хозяйство этой лесной турбазы, стоял, рассказывал Рихо, обычный хутор, но его владелица, старая Мае, которую мы мельком видели в столовой, первая в округе сообразила, что место золотое, можно зарабатывать на туристах. Она взяла ссуду в банке, наняла его, Рихо, еще двоих парней с соседних хуторов, и они перестроили дом в административный корпус, добавив для хозяйки второй, жилой этаж, снесли надворные постройки, соорудили домики для гостей. Обычно туристы осматривают Кыпу и уезжают, но некоторым хочется денек-другой пожить возле маяка.

На вопрос, где он, Рихо махнул рукой куда-то во тьму. В той стороне над черной стеной леса, туманя высыпавшие к ночи звезды, вставало слабое сияние, похожее на расплывающийся по дождевой мороси свет уличного фонаря. Во времена Отто-Рейнгольда-Людвига маяк зажигали весной, с 15 марта по 30 апреля, и осенью, с 15 августа по 30 сентября, но теперь, наверное, он горел дольше. Навигация удлинилась, октябрьские штормы не помеха проходящим возле Хийумаа сухогрузам и танкерам.

Рихо отобрал у Наташи ключ и продемонстрировал, как надо им пользоваться. Это имело смысл, поскольку даже ему замок поддался не с первой попытки. Он включил свет. Вошли в тесную, по-спартански обставленную комнату, чистенькую, но холодную. Температура как на улице. От обклеенных белесыми обоями дощатых стенок дохнуло сыростью. Наташа отогнула край покрывала, пощупала простыню и вздохнула.

Рихо понял ее без слов. С улыбкой волшебника он извлек из шкафа экономный, на три секции, масляный обогреватель, воткнул вилку в розетку.

— Сейчас будет тепло. Постельное белье надо снять и развесить на стульях.

— Может быть, есть комната посуше? — предположила Наташа.

— Это у нас лучшая комната, — весомо сказал Рихо. — В сезон мы за нее берем дороже, а в сентябре цена как у других. Раньше в ней жил германский посол, когда приезжал из Таллина. Ему нравилось. Он часто сюда приезжал.

— Нынешний посол? — спросил я на всякий случай, хотя сразу догадался, о ком речь.

— Другой. Его уже нет.

— Роденгаузен?

— Он. До войны это была земля его деда по матери. Он по матери из Унгру.

Рихо ничуть не удивился, что я назвал имя давно покинувшего свой пост немецкого посла в Эстонии. В таких местах люди думают, что если уж даже им что-то известно о большой политике, человек из Петербурга тем более должен это знать.

— По-эстонски Унгру — это Унгерн, — пояснил я Наташе.

Имя моего берлинского собеседника откликалось в окрестном пейзаже и в сиянии над лесом, но не вязалось ни с этой тумбочкой, ни с единственной в комнате полутораспальной кроватью, на которой не слишком-то комфортно лежать вдвоем. Дивана не было.

— С кем он приезжал? — поинтересовался я.

— Один.

— Совсем один?

— С собакой.

— И что делал?

— Ничего. Гулял, ходил к морю.

Рихо ушел. Снимая наволочку, я прочел Наташе стихи, которые студентом перевел с английского:

“Какое прекрасное место,
чтобы прийти сюда однажды ранним утром,
утром ранней осени”, —
сказал старый человек, разговаривая с самим собой,
или со своей собакой,
или с пролетающим ветром.

— Чьи? — спросила Наташа.

Я ответил, что это неважно. Имя автора стихов ничего бы ей не сказало, зато могло оторвать их от человека, ночевавшего тут до нас и ходившего теми же маршрутами, по которым мы пойдем завтра. Без собаки, но тоже в том возрасте, когда люди говорят о себе не только с другими людьми.

Наташа поняла и не настаивала. Мы сняли простыню, наволочки, пододеяльник, повесили их над обогревателем и пошли на ужин. Рихо принес обещанную рыбу. Кроме нас, в столовой не было ни души, но Мае даже не посмотрела в нашу сторону. Напудренное лицо и ярко накрашенные губы делали ее похожей на состарившуюся куклу. Она ножницами обрезала цветочные стебли и раскладывала цветы по кучкам, чтобы потом в известных ей одной сочетаниях расставить их по настольным вазам. На руках — перчатки. Ее мертвенная опрятность казалась суррогатом былой женственности.

Наташа полушепотом обсудила со мной возможные отношения между хозяйкой и Рихо. По ее мнению, он состоял при Мае поваром, кастеляном, электриком, разнорабочим и помощником во всех делах, исключая, должно быть, финансовые. Жгучий вопрос, является ли Рихо ее любовником, остался открытым.

Мае сказала, что заплатить за ужин желательно прямо сегодня, но кошелек мы оставили в рюкзаке. Я взял его и вернулся, а Наташа принялась стелить постель. Воздух в комнате нагрелся, белье немного подсохло.

Рихо сидел в каптерке напротив столовой. Расчитываясь, я заметил, что он успел приложиться к рюмочке. В глазах у него стояла не местного разлива тоска.

— Она, — обреченно кивнул он на Мае, менявшую цветы в вазах, — сказала мне: "Я детей не имею, родственников нет. Скоро умру, кому это все достанется? Живи у меня, достанется тебе". Год живу, второй, третий, четвертый. — Рихо на русский манер начал загибать пальцы, а не разгибать их, как делают западные люди; СССР длил фантомное существование в такого рода привычках. — Пятый, — продолжил он свой горестный счет, — шестой, седьмой... Денег не получаю. Она говорит: умру, все тебе достанется... Восьмой, девятый.

Мизинец на правой руке остался нетронутым, но по тому, как бодро бегала по столовой Мае, можно было заключить, что весной Рихо придется загнуть и его.

Он мог быть ее любовником, мог и не быть. Их объединяло другое: оба они уходили корнями в скудную здешнюю почву, значит, их предки были крепостными предков Унгерна.

Я спросил, знает ли он о бароне-пирате и его кострах. Рихо все это знал, но версию с кострами отверг как чересчур примитивную для гения здешних мест.

— Он не так делал. Он брал хромых лошадей, привешивал к ним фонари и заставлял конюхов водить их по берегу друг за дружкой. Капитан думал, что видит огни другого корабля, значит, здесь можно укрыться от бури. Направлял корабль в эту сторону и налетал на камни.

Лошадь припадала на увечную ногу, фонарь то нырял вниз, то взлетал вверх, как на палубе раскачиваемого морской зыбью судна. Меня поразила эта островная хитрость в духе Одиссея. От нее веяло не двухвековой стариной, а тысячелетней древностью.

— Он грабил корабли, потому что должен был поддерживать огонь на Кыпу, — объяснил Рихо. — Лесорубам надо платить, возчикам, кострожогам, смотрителям. Даром никто работать не станет. Лес у нас тоже недешев. Он просил денег у царя, царь не дал.

— Все равно нехорошо, — усомнился я в праве барона губить одни души, чтобы спасти другие.

— Лучше, если бы все погибли? — традиционно оправдал его Рихо. — Унгру был добрый человек. Ему приходилось так поступать, но этот грех не на нем.

— А на ком?

Рихо деликатно промолчал. Я понял, что ему не хочется обижать меня прямым указанием на жадного русского царя.

Кругом был лес, за открытым окном, невидимые в темноте, верхушки деревьев раскачивались и слитно шумели. Внизу ветер почти не ощущался. Море, видимо, оставалось спокойно. Его характерный рокот сюда не долетал.

При Отто-Рейнгольде-Людвиге эти места были голыми, лес свели на дрова в радиусе десяти верст от маяка. Кыпу требовал много пищи, зато мореплаватели видели его свет на расстоянии двадцати миль от побережья. В течение трех столетий исполинский костер на вершине каменной башни кормили елями и соснами, но теперь они вновь густо покрывали остров.

— Филины тут водятся? — спросил я, меняя тему.

С этой птицей связан был один эпизод из детства Унгерна. О нем рассказал знавший его ребенком Германн фон Кайзерлинг, такой же эстляндский немец и очарованный Востоком странник; изданный им в 1919 году “Путевой дневник философа” соперничал в популярности с “Закатом Европы” Шпенглера.

Его отец дружил с отчимом Унгерна, бароном Хойнинген-Хюне. Однажды тот с женой и пасынком приехал в гости к Кайзерлингам, а у них дома жил подобранный детьми в лесу филиненок. Девятилетний Унгерн или пытался с ним поиграть, или дразнил его сквозь прутья клетки, и пернатый узник клюнул мальчика в руку. Кайзерлинг, тогда подросток, на всю жизнь запомнил, как его маленький гость в припадке ярости, какими будет славиться позже, выволок обидчика наружу и начал душить. Птичьи когти в кровь расцарапали ему руки, но он не обращал на это внимания. Двое взрослых мужчин с трудом отняли у него полузадушенную птицу. Он был в невменяемом состоянии — нелюдимый мальчик, не нужный ни отцу, после развода забывшему о существовании сына, ни матери, родившей от нового мужа еще двоих детей, ни отчиму, которого ненавидел.

Второй филин появился в его жизни спустя четверть века. Он обитал в сопках рядом со станцией Даурия в шестидесяти верстах от китайской границы; здесь Азиатская дивизия квартировала до ухода в Монголию. Рассказывали, будто вечерами, отправляясь на верховую прогулку, Унгерн обязательно проезжал возле дерева, где находилось дупло его любимца, и умело подражал его крику до тех пор, пока не добивался ответного уханья. Почему-то я верил в правдивость этой истории. В ней могло отразиться и подсознательное желание Унгерна избыть в себе давнюю детскую вину перед несчастным филиненком, и столь же неосознанное стремление дать волю ночной, демонической стороне своей личности. Предпочтение отдавалось то одной версии, то другой. Обе были недоказуемы в принципе, поэтому все зависело от моего настроения.

Вопрос Роденгаузена, какие чувства я испытываю к моему герою, по-прежнему был для меня актуален. Кто я, историк или адвокат дьявола? Иногда утреннее сожаление, что я недостаточно его осудил, вечером сменялось чувством вины перед ним, и я находил его грехам если не оправдание, то хотя бы объяснение. Эти качели выматывали мне душу. То я заставлял себя быть к нему снисходительнее, ведь без жестокости он не мог бы поддерживать дисциплину в состоявшей из всякого сброда дивизии, да и совершенные по его приказу убийства происходили не в обычной обстановке, как было при немцах в Литве и Польше, когда евреев убивали их же соседи, а после многомесячных скитаний по пустынным монгольским степям, на фоне зимы, войны без правил, одичания, ожесточения; то отвергал эти доводы и вспоминал слова одного унгерновского офицера, писавшего, что его начальник не имел не только милосердия, но и самого сердца.

— Филины есть, — сказал Рихо, но воспоминаниями о встречах с ними делиться не стал.

Через полчаса мы улеглись, Наташа быстро уснула, а я попытался додумать мысль, явившуюся мне в машине, среди рулонов линолеума. Главный ужас истории барона-пирата, осенило меня в те минуты, заключается в дьявольском перевертыше: путеводный огонь, символ надежды и спасения, он превратил в орудие зла, сделал его вестником гибели. К этому примешались еще и хромые лошади как намек на моральную ущербность Отто-Рейнгольда-Людвига.

Казалось, отсюда я выйду к пониманию чего-то очень важного, касающегося и его праправнука, но тропы, по которым я пробовал идти, запутывались, глохли, обрывались или, попетляв, приводили в исходную точку моих размышлений, пока я осознал, что меня манит не мысль, а фальшивый огонь самой фразы. Я выбросил ее из головы и тут же почувствовал, что засыпаю.

5

После завтрака отправились к маяку. Рихо указал нам дорогу. Впереди, совсем близко, вставала над лесом белая башня, точнее, верхняя ее часть с маленьким стеклянным куполом на макушке. В нем обитал ведущий ночной образ жизни, как филин, и дремлющий в это время суток маячный излучатель с линзами. На изгибах дороги его хрустальный дворец вспыхивал под солнцем.

От шоссе дорога начала забирать вверх. Я решил, что берег здесь высокий, море откроется не раньше, чем мы выйдем на край обрыва, где должен находиться Дагерорт. Маяк получил это имя от построивших его шведов. Оно нравилось мне больше, чем эстонское. Когда-то на Хийумаа, в то время — Даго, были шведские хутора и даже деревни, но соплеменников Карла XII как возможную пятую колонну выселили с острова еще при Екатерине Великой.

Через пару сотен шагов меня стали мучить сомнения. Дул довольно сильный ветер, но грохота разбивающихся о прибрежные скалы валов я почему-то не слышал, только ровный, звучащий совсем на иной ноте, безмятежный гул соснового бора.

Еще минут десять пологого подъема, и мы — у подножия маяка.

Его сорокаметровая квадратная башня, во времена Ганзы сложенная из каменных плит внизу и булыжного камня повыше, почти на всю высоту подпертая четырьмя мощными контрфорсами, ясно впечатана в бледно-синее небо ранней осени. Она прекрасна в своей белизне и одиночестве, но любоваться ею я не в силах, меня терзает мысль, что в книге об Унгерне я поставил ее не на этом холме, самой высокой точке острова, а у моря, которого отсюда даже не видно. До него, как мне сообщила молодая русская пара, тут километра три. Понятно, из чего Роденгаузен вывел, что на Хийумаа я не бывал.

Вход в маяк — платный. В кофейне возле него сидели туристы, около кассы девушка в национальном костюме торговала сувенирами. Пока я выяснял у нее кратчайший путь к морю, Наташа купила билеты. Я предложил сначала сходить на берег, но она сказала, чтобы я шел без нее. Три километра туда, три — обратно, она лучше подождет меня здесь.

Дорога заняла больше времени, чем я ожидал, а на финише подстерегало новое разочарование. Передо мной, насколько хватало глаз, расстилался плоский глинистый берег с травяными клиньями и оазисами буроватого песка. Кое-где торчали вросшие в почву валуны и слоями лежали камни помельче. Сосны подступали почти к самой воде. Болезненно скрючившиеся под морскими ветрами, они стояли на подмытых приливом обнаженных корнях, напоминающих не то путепроводы межпланетной станции, не то остовы ископаемых монстров. Никаких утесов, о которые могли бы разбиваться суда, направляемые на них коварством Отто-Рейнгольда-Людвига, я не увидел. Заманивать сюда шкиперов не имело смысла, корабли должны были просто садиться на мель, а чтобы брать их на абордаж, барону понадобилась бы ватага головорезов. В такой экзотический поворот сюжета я поверить не мог и не понимал, почему Роденгаузен, гулявший тут с собакой, верит, будто его предок жег обманные костры на этом абсолютно бесперспективном берегу. Так же бессмысленно было прогуливать здесь увечных лошадей с фонарями; Рихо просто пересказал мне одну из тех историй, которыми туристические фирмы завлекают сюда клиентов, как Отто-Рейнгольд-Людвиг — проходившие мимо Хийумаа корабли. Выходило, что прав берлинский бизнесмен: барона действительно оговорили.

Наташу я нашел в кофейне. Она купила мне кофе, придвинула унесенный с завтрака бисквит, обернутый салфеткой и дожидавшийся моего возвращения из похода. Без меня ей рассказали, что хозяйка кофейни — одна из немногих оставшихся на острове русских женщин. Маяк был главной здешней достопримечательностью, и с присущей национальным меньшинствам предприимчивостью она сумела занять эту выгодную коммерческую нишу.

Я съел бисквит, мы еще немного посидели и пошли к маяку. К нему вела обсаженная цветами пряничная дорожка, а раньше трава тут была вытоптана людьми и лошадьми, громоздились поленницы, кругом валялись корье и щепки. Напиленные чурбаки крестьяне привозили на подводах, сколи на месте. Потом появился керосин, за ним электричество; Дагерорт работал уже пятьсот лет, по три месяца в году, каждую ночь. Сменялись поколения и народы, начинались и заканчивались войны, но огонь горел. Было в этом что-то такое, от чего благодарно сжималось сердце.

Внутри охватило каменным холодом. По винтовой лестнице с великанскими ступенями поднялись в круглый зал на последнем ярусе, уже перед выходом на верхнюю площадку. Его древние стены хранили печать недавнего евроремонта. В витринах и настенных планшетах разместилась посвященная истории маяка экспозиция — лампы смотрителей, фотографии, копии документов, старые книги. Одна раскрыта на титульном листе: "Морской путеводитель. Часть, содержащая в себе описание фарватеров и входов в порты в Финском заливе, Балтийском море, Зунде и Скагерраке находящихся. Сочинена по приказу Адмиралтейской коллегии в 1751 году флота капитаном Алексеем Нагаевым. Печатано при типографии Морского шляхетского кадетского корпуса в 1789 году".

Я переписал название в блокнот и стал читать висевшие рядом выписки из этого сочинения. Первая же убедительно доказывала, что Роденгаузен не ошибся: да, прибрежных скал в этих местах нет, зато есть грозные для судов подводные каменные гряды — "банки". Самая длинная почти под самой поверхностью протянулась вдоль берега на одну и три восьмых мили, еще три таких же, но покороче, и отдельный риф — на две мили в общей сложности. Все обнаружены лейтенантом Винковым и мичманом Спиридовым — будущим победителем турок в Чесменском бою. Впрочем, строители маяка знали о них за сотни лет до Винкова и Спиридова, да и Отто-Рейнгольд-Людвиг не в лоции капитана флота Нагаева открыл для себя эту многообещающую коммерческую нишу. Диплом Лейпцигского университета помог ему рассчитать, при каком ветре и в каких точках на местности костры или лошади с фонарями будут наиболее эффективны.

Мы вылезли наверх, на обзорную площадку. Страшный ветер обрушился на нас. Стоять у перил было невозможно, мы прижались спинами к стеклянной будке с навигационным оборудованием. Солнце сверкало в кристаллах бездействующей сейчас оптики. От ветра и простора перехватывало дыхание. Леса внизу во все стороны уходили к горизонту, лишь справа виднелся кусочек моря, даже в такую погоду не синего, а серого.

Волосы у Наташи развевались, летели, облепляли ей лицо, как в юности, когда дующий навстречу ветер — это рассекаемый тобой в полете к прекрасному будущему неподвижный воздух. Мир сиял, а я думал о том, что в моей книге есть ошибки, которых уже не исправить, и вообще неизвестно, стоило ли ее писать, если я не определился с отношением к главному герою.

С Отто-Рейнгольдом-Людвигом тоже полной ясности так и не возникло: то ли он был сукин сын, каких мало, то ли оболганный гуманист, то ли то и другое вместе. Байрон списал с него Конрада из поэмы "Корсар", но этот презирающий все человечество мятежный персонаж далеко ушел от своего прототипа. В ссылке тот вел себя тише воды, ниже травы и радовался как ребенок, если его звали на приемы к тобольскому губернатору.

Воспоминания о берлинской конференции отзывались стыдом. Основной тезис моего доклада был глубок ровно настолько, чтобы курица могла перейти его вброд. В этом плане он ничем не отличался от мысли, явившейся мне среди линолеума, а по энергии мишурного блеска уступал даже ей.

Пряча телефон в собственную тень, Наташа посмотрела на нем время и объявила, что пора идти. Была суббота, а в кофейне нам сказали, что по выходным до Кярдла идет дополнительная маршрутка к парому, дневная.

Наташа начала спускаться, но я медлил. Ей показалось, что решение, принятое мной внизу, в сорока метрах от земли перестало быть таким твердым.

— Хочешь остаться еще на ночь?

— Нет, — ответил я и вслед за ней ввинтился в нарезы каменного ствола.

Мы уложили в рюкзак зубные щетки, туалетную мелочь. За ночлег было уплачено вчера, но Наташа сочла долгом вежливости разыскать Рихо или

Мае и лично отдать ключ от комнаты кому-то из них. Ни его, ни ее мы не нашли, оставили ключ в дверях и зашагали к шоссе.

Маршрутка подошла точно в то время, которое нам назвали в кофейне. Мы были в ней первыми пассажирами, но салон постепенно наполнялся. Водитель то и дело тормозил, чтобы посадить ждавших на обочине людей. За ними не видно было ничего, кроме леса, стеной стоявшего вдоль дороги, но, значит, где-то дальше лежали хутора или рыбацкие мызы.

Уже на подъезде к Кярдла в кармане завибрировал телефон. Звонил Марио.

— Есть новости, — сообщил он.

Голос был странный, в первый момент я его не узнал. Имя высветилось, но без очков осталось для меня нечитаемой надписью на экране.

— Что-то случилось? — спросил я.

— Вчера мне позвонил Роденгаузен. На радио ему дали мой телефон. Между прочим, за час до этого я строгал салат и порезал палец.

Марио, видимо, курил и прервался, чтобы сделать затяжку перед главным пунктом:

— Он нашел деньги на фильм.

— Ух ты! Где?

— В том фонде, который поддерживает их союз.

— Это уже точно?

— На девяносто процентов. Он уверен, что проблем не будет. Вопрос решится в течение месяца.

— Поздравляю. Рад за тебя, — сказал я, хотя мне его новость была скорее неприятна.

Я чувствовал себя одураченным. Роденгаузен упрекал меня за книгу об Унгерне, демонстративно не желал находиться в обществе его симпатизанта и, следовательно, сторонника неприемлемых для него, Роденгаузена, взглядов, а теперь нашел для Марио деньги на фильм о человеке, которого назвал садистом.

Почему?

Непохоже, что он тогда со мной лицемерил. Мы говорили с ним в прошлом году, под Рождество. Сейчас сентябрь. Что изменилось за прошедшие девять месяцев?

— Подожди, — перебил я Марио, с избыточными подробностями излагавшего мне ход вчерашнего разговора. — Знаешь, где я сейчас нахожусь?

— Где?

— На Хийумаа.

Он отреагировал спокойно.

— Ты ведь сам говорил, что на главном участке нашей жизни совпадения превышают норму.

Наташа волновалась, что медленно едем, опоздаем на паром, но мы еще прождали его около часа. Наконец отчалили. Погода испортилась. Глядя в пестрое от дождевых капель окно, я вспомнил, как двадцать с лишним лет назад, готовясь писать книгу об Унгерне, сидел в архиве в Тарту, разбирал бумаги его родственников. Письма были на немецком, прочесть их я не мог, но надеялся хотя бы понять, о чем идет речь в том или другом, чтобы, если найдется что-нибудь интересное, сделать ксерокопии, а по возвращении в Москву заказать перевод. Ксерокопировать все подряд было непозволительно дорого. Доброжелательная архивная девушка меня консультировала. Заодно я поинтересовался у нее, как лучше и, главное, дешевле добраться до Хийумаа. Оказалось, попасть туда нельзя, пограничная зона, нужен пропуск. "Вы сможете поехать туда позже", — обнадежил меня мой добрый ангел. "Когда позже?" — "Когда ваших солдат не будет на нашей земле".

Из архива я вышел к университету. На площади перед ним над толпой студентов мотались туда-сюда сине-черно-белые флаги на длинных дюралевых шестах. Русский прохожий с не вполне ясным мне чувством, которое он вроде бы хотел выразить, но одновременно, словно стесняясь его, пытался скрыть, объяснил мне, что синий цвет символизирует море и небо Эстонии, черный — страдания эстонского народа под гнетом немецких баронов и советских оккупантов, белый — его светлое будущее. Я не верил, что этот флаг способен стать чем-то большим, чем андреевский или якобы имперский, черно-желто-белый, так же горделиво и на таких же алюминиевых палках реявшие над московскими толпами, но куда более дальновидный Роденгаузен уже, вероятно, готовился ступить на землю предков. Происхождение и знание туземных языков делало его идеальным кандидатом на пост представителя Берлина в Таллине.

6

Через месяц Марио позвонил снова.

— Умер, — сказал он своим обычным голосом.

Спрашивать кто нужды не было.

— Когда? — спросил я.

— Точно не знаю, но недели три назад. Вскоре после того, как он мне звонил.

Возраст, в котором мужчины умирают на улице или в приемном покое, для Роденгаузена давно миновал, но я решил, что смерть была внезапной — сердце. Оказалось, онкология, болел с зимы. Зимой его прооперировали, а летом ему опять стало хуже, положили в клинику, там он и умер. У Нади в этой клинике лежит один русский клиент с тем же диагнозом, она говорила с врачом, и врач по аналогии вспомнил о Роденгаузене.

— Я сопоставил даты, — сказал Марио. — Получается, он звонил мне из больницы.

— И что теперь?

— Ничего.

— В каком смысле?

— Ничего не будет.

— А тот фонд? Если они согласились профинансировать твой проект, обойдется, может быть, без Роденгаузена?

— Я узнавал. Они об этом понятия не имеют.

— То есть он тебя обманул?

— Не думаю. Думаю, он хотел дать мне свои личные деньги, но оформить так, будто все идет через фонд. На документальный фильм не такая уж большая сумма требуется. Для таких, как он, вообще не деньги. Ему обещали еще полгода жизни. Он рассчитывал, что успеет провернуть это дело, но — вот так.

Сквозь его голос зазвучали стихи о старом человеке, которые я читал Наташе на Хийумаа: "Какое прекрасное место, чтобы прийти сюда однажды ранним утром, утром ранней осени..." Если, гуляя в одиночестве у маяка или на морском берегу, Роденгаузен с кем-то и разговаривал, то не с самим собой, не с собакой — с пролетающим ветром. Этим ветром с острова сдуло сначала шведов, потом немцев, потом русских.

Он был дипломат, говорил не Ревель, а Таллин, не Даго, а Хийумаа, не Дагерорт, а Кыпу, но на больничной койке они обрели прежние имена. В ушах шумело море, по берегу тянулась вереница хромых лошадей с фонарями, о которых ему, мальчику, рассказывала мать. В их свете все стало сном, кроме детства. Он проснулся и увидел: то, что разделяло их с Унгерном, исчезло, унесено его летучим собеседником. Два плода с разницей в полстолетия созрели на одной ветке. Кузины первого стали троюродными бабушками второго, двоюродные племянницы — какими-нибудь непрямыми тетками.

— Идешь по улице, — говорил Марио, — издали видишь в толпе знакомого, а подходишь ближе — нет, не он. Идешь дальше и через какое-то время встречаешь того самого человека, за которого принял первого. Ложная встреча — знак, что будет настоящая. С тобой так бывает?

Момент перехода к новому сюжету от меня ускользнул.

— Ты это к чему?

— Если Роденгаузен хотел дать мне деньги на фильм, но не сложилось, значит, скоро даст кто-нибудь другой. Я уже придумал первые кадры.

Он начал излагать свою идею: ночь, Дагерорт; узкий в истоке, но постепенно расширяющийся луч прожектора с вершины маяка падает на темное море. В конусе света, как в стеклянном сосуде, клубится плывущий над водой туман. Сквозь него сверху вниз, наискосок, через весь экран, вырастая из точки и быстро увеличиваясь в размерах, мчится всадник в желтом княжеском дэли с генеральскими погонами. Пока он несется внутри луча, туман за ним багровеет, окрашивается кровью. Унгерн долетает до воды, скачет по морю, и мы видим, что это уже не море, а степь.

— Музыка соответствующая, — закончил Марио. — Бах переходит в монгольское горловое пение.

— Компьютерная графика — это дорого, — заметил я.

— Зависит от объема. У меня будет максимум минута. Просто заставка перед названием, дальше пойдет обычное документальное кино. Как тебе идея?

— Здорово, по-моему, но есть один нюанс. Дагерорт стоит в трех километрах от берега, луч до воды не достает.

— А у меня достанет, — сказал Марио.

Он передал привет Наташе, я — Наде, и мы простились.

2017

Полковник Казагранди и его внук

1

Он позвонил и сказал:

— Я прочел вашу книгу об Унгерне. Моя фамилия Казагранди.

— Родственник? — спросил я.

— Внук.

И скороговоркой, чтобы успеть сказать главное, пока его не прервали:

— Я приехал из Усть-Каменогорска, это в Казахстане. Пробуду в Москве только три дня. Очень хотелось бы с вами встретиться. Меня зовут Игорь.

Денег на то, чтобы пойти с ним в кафе, у меня не было, да и нормальных кафе в 1994 году не было тоже. Я пригласил его к себе домой. Вечером он пришел. Ему оказалось лет тридцать, меньше, чем я ожидал. Странно было, что этого молодого человека в джинсовом костюме и убитого в Монголии по приказу Унгерна колчаковского полковника разделяет всего одно поколение.

Его дед Николай Николаевич Казагранди, выходец из семьи обрусевшего итальянца, юрист с дипломом Казанского университета и офицер военного времени, в Гражданскую стал командиром полка — вот, пожалуй, все, что мне было известно о нем до января 1920 года. Зато историю последних полутора лет его беспокойной жизни я знал хорошо.

После разгрома Колчака при отступлении от Красноярска на восток Казагранди заблудился в тайге, попал в плен и был отправлен на лесозаготовки, но сумел бежать в уже занятый красными Иркутск, где жили его жена и дочь. Какое-то время скрывался в городе, потом ушел в Монголию, сколотил отряд из таких же беглецов, как он сам, и хотя позже подчинился Унгерну, действовал в отрыве от главных сил Азиатской дивизии. В июле 1921 года он со своим отрядом в двести сабель стоял на Хэнтейском хребте, возле перевала Эгин-Дабан, а Унгерн после поражения под Кяхтой разбил лагерь на пару сотен верст севернее, в верховьях Селенги. Готовясь ко второму походу в Забайкалье, он направил Казагранди письменный приказ: идти на соединение с дивизией, чтобы принять участие в предстоящем наступлении. В ответ, сообщают мемуаристы, полковник прислал к барону некоего офицера, на словах передавшего ему, что Казагранди отказывается исполнить приказ, но чем он руководствовался и для чего, собственно, посчитал нужным доложить о своем неподчинении Унгерну, который ни при каких обстоятельствах не мог этого одобрить, никто не понимал. Если Казагранди решил выйти из игры, разумнее было ответить притворным согласием, а затем просто уйти с места стоянки. Гоняться за ним по диким горам Хэнтея барон бы не стал, у него других забот хватало. Логичным казалось предположение, что прибывший к нему офицер был не доверенным лицом Казагранди, а доносчиком, сообщившим о его измене.

Поговорив с ним, Унгерн отправил на Эгин-Гол сотника Сухарева с полудесятком казаков. Ему велено было расстрелять Казагранди как изменника, принять командование отрядом и привести его в базовый дивизионный лагерь на Селенге.

Первые два пункта приказа Сухарев выполнил: убил ослушника и занял его место. Предвидя, однако, что второй поход на Советскую Россию окончится так же, как первый, и уступая, видимо, требованиям бойцов, стремившихся в Харбин, в зону КВЖД, он повел отряд не на север, к Унгерну, а на восток, в Маньчжурию. На границе нарвались на китайскую пехоту из армии генерала Чжан Цзолиня. В бою Сухарев погиб, перед смертью успев застрелить жену и маленького сына. Все или почти все его люди были перебиты китайцами.

Теперь я узнал от Игоря, что его отцу, тоже Николаю, было тогда шесть месяцев. Полковник никогда не видел сына. Мальчик появился на свет в Иркутске; там, уходя в Монголию, Казагранди оставил беременную жену Александру Ивановну с пятилетней дочерью Аллой. Отвечать за мужа им не пришлось, вдове с детьми позволили уехать в Харбин.

Осенью 1945 года в город вошли советские войска; Николай Казагранди-младший, при японцах служивший чертежником на фанерной фабрике, был арестован и вывезен в СССР. После лагеря обосновался в Усть-Каменогорске, там и прожил всю оставшуюся жизнь.

— Он родился в год гибели отца. А я — когда ему было за сорок, — раскрыл Игорь причину своей подозрительной молодости.

— Дед — Николай Николаевич, отец — Николай Николаевич, — сказал я. — Почему вас не назвали так же?

— Чтобы судьба была ко мне милостивее, чем к ним, — объяснил он.

И спросил:

— По-вашему, офицер, который прибыл к Унгерну с Хэнтея, донес ему на деда?

— Похоже на то.

— А какие у деда были планы? Я не просто так спрашиваю, мне это важно, чтобы понять его как человека. Куда он собирался вести своих людей?

— Вероятно, в Маньчжурию.

— Может быть, через Маньчжурию в Приморье? — предположил Игорь. — Чтобы продолжить борьбу там? Во Владивостоке тогда еще были белые.

— Тоже вариант, — согласился я, — но он мог и распустить отряд, и вместе с ним сдаться красным, выговорив себе за это прощение. Его планов никто не знал. Свидетелей не осталось, все погибли.

— А тот офицер?

— Он — да, знал.

— И никому не рассказал?

— Никому из тех, кто оставил воспоминания.

— И что с ним потом случилось?

— С доносчиком? — уточнил я.

— Да. Унгерн послал его с Сухаревым обратно к деду? Или оставил при себе?

— Понятия не имею.

— Как так?

— Так. Мемуаристы об этом молчат, Унгерн на допросах в плену о нем не упоминал. Неизвестна даже его фамилия. Я не Господь Бог, чтобы знать все.

Игорь воспринял это как выговор.

— Я ведь для чего хотел вас увидеть, — сказал он виновато. — Думал, вы расскажете про деда больше, чем написано в вашей книге. Меня интересует, как он вел себя по отношению к подчиненным и населению, каковы его человеческие качества. Бабушка, мать отца, рассказывала ему про деда, но я ее не застал, а отец со мной никогда о нем не говорил. Люди его поколения боялись говорить о таких вещах с детьми. А теперь его уже нет.

Тут я мало чем мог ему помочь. Для меня самого Казагранди оставался фигурой неясной. Рассказы тех, кто встречался с ним в Монголии или писал о нем с чужих слов, расходились так, словно речь шла о разных людях. Для Арсения Несмелова это "жестокий герой", другие отрицали его храбрость, зато обвиняли в убийствах китайских поселенцев и грабеже буддийских монастырей. Ходили упорные слухи о зарытом им где-то в горах кладе, чье местонахождение он отказался открыть Унгерну, — это якобы и стало подлинной причиной его казни. Один казачий офицер именовал его не иначе как "кровавой бестией", но были и такие, кто видел в нем человека достаточно гуманного, по крайней мере для того времени и тех мест, куда его занесло под конец жизни.

Лучше многих о Казагранди отзывался некто Носков, автор изданной в Харбине книжечки "Авантюра, или Черный для белых русских в Монголии 1921-й год". У меня дома лежала ее ксерокопия, сделанная в Ленинской библиотеке за немалые, по моим тогдашним понятиям, деньги, но я, вдруг расщедрившись, подарил свой ксерокс Игорю. Заказать себе такой же у него не хватило бы времени: через день он навсегда улетал в Австралию, в Сидней. Виза была уже готова.

Молодой, холостой, свободный, мой гость стоял на пороге новой жизни. В нем ощущалась проходящая сквозь сердце, вибрирующая от предельного натяжения струна. Ее звон повисал в воздухе, едва Игорь умолкал. Про деда он расспрашивал так, словно исполнял последний долг на покидаемой навеки родине.

О его планах на будущее мы проговорили дольше и едва ли не горячее, чем о несчастном полковнике. Перешли на кухню, жена выставила парадные чайные чашки, доставшиеся ей от бабушки и предназначенные исключительно для гостей. Последнее время они все реже появлялись на столе.

Моя Наташа приняла активное участие в разговоре: проблема эмиграции была для нее актуальной. Австралия потеснила Монголию, но вопрос о том, каким образом Игорь получил австралийский вид на жительство, так и остался открытым. Спросить прямо я постеснялся, а он не вдавался в детали. Впрочем, догадаться было нетрудно. Тысячи бывших колчаковцев из Китая переселились в Австралию, как-то само собой подразумевалось, что потомки осевших в Сиднее соратников Казагранди по борьбе с большевиками оформили внуку приглашение и оплатили билет на самолет. Стоимость такого перелета была для него совершенно неподъемной.

Когда он ушел, Наташа сказала с затаенной горечью:

— Людям важнее собственное будущее, чем чужое прошлое. Это естественно.

Камень был в мой огород. Она считала, что здесь у нас будущего нет, и хотела увезти меня с сыном в Германию, а я собирался писать книгу о генерале Пепеляеве и Гражданской войне в Якутии. Для этого нужно было попасть в Новосибирск, в архив ФСБ, но наш семейный бюджет не выдержал бы такой поездки.

2

До Новосибирска я добрался через два года. Сидел в окружной военной прокуратуре, читал следственное дело Пепеляева, временно переданное туда из ФСБ по заявлению его сына о реабилитации отца. Оно было объединено с делами других пепеляевских офицеров, плененных красными в порту Аян в 1923 году и морем доставленных во Владивосток. Просматривая их, я дошел до показаний поручика Федора Рассолова. В первых же строчках бросилось в глаза имя Унгерна. Это сочетание букв я воспринимал как написанное другими чернилами или напечатанное другим шрифтом, чем весь остальной текст.

Рассолов был учитель из Иркутской губернии, служил у Колчака, бежал от красных в Монголию, там прибился к отряду Казагранди и, очевидно, пользовался полным его доверием: именно Рассолова, как он показал на допросе в ГПУ, дед Игоря отправил к Унгерну для переговоров. Напрасно я подозревал в нем доносчика.

Это было одно из моих сильнейших читательских потрясений. Безымянный офицер, с непонятной целью прибывший от Казагранди к барону накануне последнего похода Азиатской дивизии в Забайкалье, обрел имя и биографию, словно луч неземного света выхватил этого человека из навсегда, казалось, объявшей его тьмы.

Вся дивизия располагалась лагерем на левом, низком берегу Селенги, а барон со штабом — на правом, высоком. На левом было много змей, по ночам они заползали в палатки, вдобавок Унгерн уже догадывался о зреющем офицерском заговоре и опасался покушений. Рассолова в лодке перевезли к нему на правый берег. Они с Унгерном о чем-то долго беседовали, сидя рядом на краю речного обрыва. Дело было днем, при ярком июльском солнце. Один из мемуаристов видел их через реку и хорошо запомнил эту картину. Издали она выглядела вполне идиллической.

Теперь я узнал, о чем они говорили.

Отвечая на вопрос следователя, Рассолов раскрыл цель своей миссии, загадочную не только для меня, но и для его современников:

“После неудачных июньских боев, — кратко сообщил он, — Казагранди решил уйти со всем отрядом в Индо-Китай или в Персию, образовать там земледельческую колонию и заниматься мирным трудом. С этим предложением я был направлен от него к Унгерну, который встретил меня очень сурово, а самого Казагранди приказал расстрелять, что и было исполнено Сухаревым".

Образовать колонию, Боже мой! В Иране или в Таиланде. Что, интересно, он собирался там выращивать? Рис? Бананы? Или, как один белый латышский стрелок, тоже пытавшийся уйти из Сибири в теплые страны, планировал разводить страусов на перья для дамских шляпок? Латыш был уверен, что охватившее мир безумие не может длиться вечно, когда-нибудь все вернется на круги своя, и женщины вновь начнут украшать шляпы страусиными перьями. Этот верный способ разбогатеть излагался в записках его сокамерника по омской тюрьме.

Я ни на минуту не усомнился, что Рассолов сказал правду. Есть вещи, которых не придумаешь, да и зачем ему врать? Все герои этой драмы уже два года как были мертвы: Унгерна судили и расстреляли в Новониколаевске, Казагранди убит Сухаревым, Сухарева застрелили китайцы. Тела товарищей Рассолова по отряду истлевали в степи под Калганом.

Сомнения вызывало другое: неужели Казагранди был настолько наивен, что рассчитывал соблазнить своей идеей Унгерна? Но почему бы нет? То, что годилось для его отряда, могло стать выходом и для всей Азиатской дивизии.

Нигде тогда, а в Монголии особенно, не стоило полагаться на здравый смысл, не подмешав к нему толику безумия. В ирреальной действительности тех лет самые фантастические проекты казались осуществимыми, а нередко и осуществлялись, если за них брались люди, умеющие проходить над бездной по острию ножа, возводить песчаные цитадели и вербовать под свои знамена призраков. Унгерн был из этой когорты, и Казагранди мог искренне верить, что его план будет принят, ведь в чужеродной среде легче уберечь дивизию от разложения, сохранив ее до тех пор, когда с переменой обстановки в России мирные колонисты опять превратятся в спаянных общей судьбой опытных бойцов.

Казагранди должен был посвятить Рассолова в свои резоны, иначе отправлять его к Унгерну не имело смысла. Правда, в ГПУ он ничего такого не говорил, но я нашел этому объяснение: Рассолову выгодно было подчеркнуть их намерение сложить оружие, умолчав о готовности снова взять его в руки.

Казагранди не желал больше воевать, но и уходить в Харбин не хотел тоже. Там его никто не ждал, а вернуться в Иркутск, к жене, к дочери Алле и будущему отцу Игоря, семимесячному младенцу, чье имя и даже пол ему, последние месяцы полностью оторванному от внешнего мира, были, скорее всего, неизвестны, он не мог. При каком-то немыслимом везении ему, может быть, удалось бы пробраться в город и проникнуть к жене, но мимолетным ночным свиданием он лишь растравил бы сердце себе и ей. О том, чтобы под носом у ЧК вывезти ее с двумя маленькими детьми в Китай, не стоило и думать; не было ни малейшей надежды воссоединиться с семьей в сколько-нибудь обозримом будущем. Для Казагранди, как и для Рассолова, также оставившего семью по ту сторону русской границы, Индокитай или Персия, причем в принципе не важно, одно или другое, сделались тем идеально чистым листом, с которого удобнее всего начинать новую жизнь. Абсолютно чуждый мир подходил тут лучше, чем знакомый.

Теоретически допускалась и другая причина: у Казагранди в Монголии могла появиться какая-то женщина из русских беженцев, он хотел быть с ней, а не с Александрой Ивановной, отсюда идея основать колонию подальше от семьи, однако никаких следов своего пребывания ни на Хэнтее, ни на отрядной базе в монастыре Ван-Хурэ эта незнакомка не оставила. Я имел полное право считать, что ее не было.

Едва ли весь отряд Казагранди готов был идти с ним в глубины Азии. Возможно, бойцы просто не знали, куда он планирует их вести, но если предположить, что Сухарев им это объяснил, объяснялось и то, почему никто в лагере не помешал ему убить полковника и занять его место.

Рассолов был доверенным лицом Казагранди; быть может, и другом. Все, что оправдывало мертвого, говорило в пользу живого, но не один голый расчет побудил его встать на защиту оклеветанного харбинскими писаками полковника. Когда следователь предложил ему охарактеризовать Казагранди, Рассолов без колебаний присоединил свой голос к голосам тех, кто отвергал тяготевшие над ним обвинения в жестокости.

“Его приемы были несколько отличительны от остальных белых в Монголии, — сказано было с той интонацией, которая слышится даже в протоколе допроса, если человек говорит то, к чему призывают его долг и совесть. — Полковник Казагранди проповедовал всепрощение и любовь к противнику, считая его временно заблудшим, поэтому был противником репрессий”*.

Унгерн, однако, являлся их сторонником, о чем Рассолов не мог не знать. Он понимал, что рискует головой, соглашаясь передать ему идею Казагранди заодно с его отказом участвовать в наступлении, тем не менее согласился и не прогадал: велев расстрелять полковника, Унгерн пощадил его посла. Рассолова зачислили в один из стоявших на Селенге полков, благодаря этому он уцелел, когда отряд Сухарева был уничтожен китайцами. А если бы

* Архив УФСБ по Новосибирской области, д. 13069, л. 105 об. — 107.

испугался ехать с такой миссией к грозному барону, то разделил бы участь товарищей. Смертельно опасное поручение спасло ему жизнь.

Вскоре Азиатская дивизия взбунтовалась и ушла в Маньчжурию без Унгерна. Барон был пленен красными, а Рассолов в конце концов добрался до Харбина, следующим летом вступил в Сибирскую добровольческую дружину Пепеляева и отплыл с ней в порт Аян на Охотском побережье, чтобы оттуда, через Якутию, попасть домой, к жене и четырехлетней дочке. Он не видел их два с лишним года, сильно по ним тосковал и ради встречи готов был с боями пройти до Иркутска три тысячи верст по зимней тайге. Сирены из харбинских газет заманили его на эти рифы чарующей песней о том, что вся Сибирь уже восстала против большевиков, добровольцы скоро увидят свои семьи.

После того как Пепеляев с остатками дружины сдался в плен, мечта Рассолова наконец сбылась. Следствие не вскрыло за ним никаких преступлений на службе ни у Колчака, ни у Пепеляева, ни даже у Унгерна, и он из Владивостока был отправлен по прежнему месту жительства под надзор уездных властей. Позднее переехал в Иркутск, работал бухгалтером в горпродторге, но, может быть, в какой-то параллельной реальности они с Казагранди на легких воздушных конях пролетали среди цветущих садов Хорасана, под шумящими на ветру аннамскими пальмами — избавленные от воспоминаний, не ведающие печали.

А в этом мире Рассолов последовал за любимым начальником в феврале 1938 года: его расстреляли как члена контрреволюционной подпольной организации, существовавшей где-то в тех же туманных сферах, что и руководимая Казагранди земледельческая колония из его убитых на китайской границе всадников.

.

3

После моей поездки в Новосибирск прошло пятнадцать лет. Книга о Пепеляеве мне никак не давалась, я брался за нее несколько раз, но закончить не мог, зато выпустил второе, расширенное издание "Самодержца пустыни", книги об Унгерне. Первое, вышедшее в 1993-м, Игорь купил у себя в Усть-Каменогорске, а потом позвонил мне в Москве.

Примерно через полгода я получил письмо от Саши Исаева, в прошлом — моего ученика в физико-математической школе № 9 в Перми. Я вел у них в классе историю. Как выяснилось, Саша окончил МГУ и уже много лет живет в Австралии, преподает математику в университете Канберры, профессор. Мою почту дали ему бывшие однокашники. Он прочел "Самодержца пустыни" и зажегся идеей разыскать в Австралии потомков забайкальских казаков, у которых по сундукам и чердакам пылятся доставшиеся им от предков ценнейшие исторические документы по моей теме. Найденные сокровища Саша намеревался сканировать и переправлять мне.

Я выразил осторожный скепсис относительно этой затеи, но попросил его найти адрес Игоря Казагранди. Как раз незадолго перед тем, снова взявшись за книгу о Пепеляеве, я перебирал свои старые записи, наткнулся на высказывания Рассолова о его деде и подумал, что Игорь рад был бы о них узнать.

Саша сразу проникся важностью задачи.

“Родственник того самого?” — осведомился он, демонстрируя знание контекста.

“Внук”, — ответил я и уже на другой день получил его почту, телефон и адрес его сайта. В прекрасном новом мире поиски иголки в стоге сена перестали быть проблемой.

На сайте Игорь значился как владелец юридической фирмы в Сиднее. Тут же в памяти всплыла фраза, произнесенная им у меня дома вечность тому назад.

“Юрист, — отвечено было на вопрос моей Наташи, кто он по образованию. — Пошел по стопам деда”.

Я написал ему коротенькое письмецо, а в конце привел цитаты из показаний Рассолова со ссылкой на новосибирский архив ФСБ — дело (фонды как единица хранения в этом архиве отсутствуют) и номера листов. Скромный знак моей причастности к тайнам сильных мира сего.

Игорь отозвался мгновенно. Он писал, что отлично помнит нашу встречу, благодарит за интересные сведения о деде, а в ответ шлет качественный цветной скан сохраненного бабушкой метрического свидетельства своего отца. Выражалась надежда, что оно пригодится мне в моей работе.

Открыв приложение, я увидел бледную машинопись, пробитую через фиолетовую копирку — второй или даже третий экземпляр. Право входить в казенные учреждения признавалось исключительно за первым, остальные в качестве резерва сберегались на случай его утраты, пока не переходили в разряд семейных реликвий. Присланный документ был из их числа.

Он гласил:

“Настоящее выдано Казагранди Николаю Николаевичу в силу протокольного определения Харбинского Епархиального Совета от 7 июня 1938 года, за № 40, утвержденного высокопреосвященным Мелением, архиепископом Харбинским и Маньчжурским, резолюцией от 26 мая 1938 года, за № 316, в том, что, как выяснено показаниями присяжных свидетелей, он действительно родился 10 января нов. ст. 1921 года в гор. Иркутске и 9 октября нов. ст. того же 1921 года там же, в Иркутске, в Крестовоздвиженской церкви, крещен священником о. Иоанном Троицким.

Законные родители: полковник российской императорской армии Николай Николаевич Казагранди и супруга его Александра Ивановна Казагранди, оба православные.

Восприемниками были: профессор экономического отделения Иркутского университета Клавдий Николаевич Миротворцев и жена инженера Елена Константиновна Сукманская".

Далее указывалось, что подтверждающие вышеизложенное подписи восприемников заверили своими подписями "заступающий место" председателя Епархиального Совета протоиерей М.Филолог и член-секретарь Совета протоиерей И.Петелин.

Как я понял, свидетельство было выдано Николаю Казагранди-младшему, чтобы на его основании он мог получить удостоверение личности. Ему скоро исполнялось восемнадцать лет, но таким, как он, китайские паспорта не полагались.

Игорь был уверен, что как специалист по его деду я счастлив буду заполучить эту бумагу. Что-нибудь в том же духе после долгой охоты раздобыл бы профессор из Канберры, которого я помнил школьником.

Казагранди-старший громко именовался здесь "полковником императорской армии", хотя при Николае II дослужился всего лишь до поручика; в полковничий чин его произвели при Колчаке. Святая материнская ложь повышала социальный статус сына в глазах падкой на такие побрякушки эмигрантской общественности. Больше ничего любопытного не нашлось, но когда для очистки совести я перечитал свидетельство внимательнее, то отметил одну странную деталь: родившийся в январе мальчик крещен был в октябре, спустя девять месяцев после рождения. Что-то, видимо, помешало Александре Ивановне сделать это раньше.

Что?

Само собой, младенцы болеют, хотя при грудном вскармливании это случается не так часто. Более реалистичными казались два других варианта. Оба покоились на допущении, что лишь тогда, в начале октября, Александре Ивановне стало известно о смерти мужа, убитого тремя месяцами раньше. Теперь она или перестала его ждать, чтобы крестить сына вдвоем, или, проживая по подложным документам, до этого боялась объявлять настоящую фамилию ребенка даже в церкви. Отныне ЧК не было расчета ни брать ее в заложницы, ни делать из нее приманку для полковника, если тому хватит дерзости под чужим именем явиться в Иркутск.

Но от кого она узнала о его гибели?

В советских газетах об этом не писали, харбинские до Иркутска не доходили, а линии монгольского степного телеграфа, молниеносно разносившего новости от табуна к табуну и от кочевья к кочевью, обрывались на границе с Россией.

Может быть, Рассолов, очутившись в Харбине, нашел способ сообщить Александре Ивановне, что она стала вдовой? Они могли быть знакомы, ведь он жил где-то под Иркутском и скрывался в городе зимой 1920 года, то есть в одно время с Казагранди, но если даже Рассолов не знал его жену лично, как близкий ему человек он был о ней наслышан. Возможно, перед первым походом в Забайкалье они с Казагранди обменялись адресами своих семей, чтобы в случае гибели одного другой известил бы его родных.

По датам все совпадало идеально. Рассолов оказался в Харбине в двадцатых числах сентября, за полмесяца до крещения Коли. Двух, а то и трех недель было достаточно, чтобы его письмо, пусть через промежуточных корреспондентов, чьи имена и адреса ему также мог назвать Казагранди, по вычерченной им сложной траектории попало к Александре Ивановне. Тайные связи пронизывали этот жестокий мир, невидимые, как прожилки на древесном листе, пока не посмотришь сквозь него на свет.

Отвечая Игорю, я упомянул, что недавно вышло второе издание “Самодержца пустыни”, в нем есть много такого, чего в первом не было, в том числе — про его деда.

Игорь с восторгом принял это известие. На следующий день он проинформировал меня, что выписал мою книгу по почте, а еще через месяц доложил: книга доставлена, он мне обязательно напишет, как только прочтет, но письма от него я так и не дождался.

4

Годом позже я познакомился с Константином Бурмистровым, историком философии и знатоком русской эмиграции в Китае. На пересечении двух этих векторов его профессионального интереса, как пойманный в перекрестье прожекторных лучей бомбардировщик, находился забытый философ Илья Коджак, родившийся за три года до начала XX века в Севастополе и умерший спустя семьдесят лет в Сиднее. От Бурмистрова я впервые услышал это имя.

Коджак происходил из старинной караимской фамилии, окончил Лазаревский институт восточных языков в Москве, в Гражданскую служил в читинском авиаотряде атамана Семенова, но, похоже, сам не летал. Позднее жил в Харбине, издал там несколько книг. Об их содержании я мог судить лишь по заглавиям и аннотациям. Скажем, главный труд его жизни назывался “Социософия” и, как следовало из явно не лишнего при таком названии уточняющего подзаголовка, представлял собой изложение “новой науки о государстве как социальном организме и его душе — прогрессе”. Понятно было, что брошюра “Еврейский вопрос” посвящена еврейскому вопросу, книга "Пятая симфония Чайковского" — Пятой симфонии Чайковского, но какие проблемы трактовались в книжечке "Око в окне", оставалось лишь гадать.

Вскоре после вступления в Харбин советских войск Казагранди-младший был арестован как сын своего отца, однако его мать и сестру не тронули. Потенциально опасные элементы определялись по гендерному принципу: родственницы даже видных участников Белого движения обычно оставались на свободе, но почему избежал ареста служивший у атамана Семенова караимский философ, сказать трудно. Вероятно, ухитрился вырвать эту страницу из книги своей жизни или сделать ее невидимой для читателей из НКВД.

В нашем с Бурмистровым разговоре его тень возникла среди других теней, в земной жизни так или иначе связанных с Унгерном: оказывается, женой автора "Социософии" была дочь полковника Казагранди, Алла. Она вышла за него замуж в Харбине в 1959 году. Оба были немолоды: ей — сорок четыре года, ему — шестьдесят два. Может быть, от их внимания не ускользнуло, что у каждого цифры возраста дают в сумме число "восемь", счастливое для буддистов. Коджак и Алла Николаевна слишком долго прожили на Востоке, чтобы этого не знать. Новобрачные склонны придавать значение таким вещам.

Вряд ли полковник, будь он жив, одобрил бы выбор дочери. Во всяком случае, когда при Унгерне в Урге начались убийства евреев, те из них, кому удалось бежать из монгольской столицы, находили приют не у Казагранди в Ван-Хурэ, а у другого сподвижника барона, атамана Кайгородова, в Кобдо. На фотографии внешность Коджака была чисто семитская, и хотя караимы отрицают родство с евреями, настаивая на своих тюркских корнях, единодушия тут нет даже среди них самих, не говоря обо всех прочих. Для Казагранди форма носа стала бы важнее любых этнологических теорий.

Роман Коджака с Аллой Николаевной завязался задолго до женитьбы. В их возрасте оформлять отношения им было ни к чему, пока Пекин не потребовал от русских в Китае или принять гражданство КНР, или репатриироваться в СССР, где им не разрешали селиться западнее Урала, или выехать в третьи страны. Предпочтительнее всего были США, Канада и Австралия, но там принимали беженцев при наличии в стране родственников или единоверцев, способных профинансировать переезд. В Австралии жил старший брат Коджака, Иосиф, он и выступил в роли спонсора для витавшего в эмпиреях философа, его подозрительно вовремя появившейся жены и даже тещи. Александра Ивановна понимала, конечно, что никогда больше не увидит сына, но она и так прожила без него четырнадцать лет; дочь была нужнее и надежнее. Сразу после регистрации брака все трое из Харбина отправились в Гонконг, а оттуда — в Сидней.

У Бурмистрова имелись копии анкет, от руки заполненных ими по-английски в гонконгском отделении Бюро по делам беженцев при ООН. Рукописи горят, но те, на которых есть печати государственных или международных организаций, горят реже.

Вот они, эти судьбоносные бланки с наклеенными в правом верхнем углу фотокарточками — бесценный для биографа источник. Записи читались без усилий, но если Бурмистрова интересовал сам Коджак, меня — его жена. Было чувство, будто я встретил взрослую замужнюю женщину, которую последний раз видел девочкой. Когда в Иркутске, в Крестовоздвиженской церкви, она стояла у крестильной купели брата, ей было шесть лет.

Рост Аллы Николаевны составлял 5 футов 7 дюймов, вес — 140 фунтов. Красавицей я бы ее не назвал, но твердый рот, крепкие скулы и общая резкость черт говорили об энергии и жизненной силе. Зная об итальянском происхождении полковника, в ее чертах нетрудно было найти признаки той же крови. Волосы, как указывалось в анкете, у нее были светлые, однако на черно-белом снимке выглядели темными и придавали ей облик южанки. Глаза зеленые. У матери — серые. Надо думать, цвет глаз дочь унаследовала от отца и, не исключено, вместе с характером. На вопрос о владении иностранными языками она ответила, что читает, пишет и говорит по-английски, по-китайски и по-японски; в качестве основных своих занятий назвала переплетение книг и печатание на машинке, что, видимо, связано было с помощью Коджаку в его одиноких трудах, а в качестве дополнительных — шитье и вязание. Денег на то, чтобы одевать жену у портних или в магазинах готового платья, философу не хватало. Детей у них, естественно, не было.

Коджак умер в 1967 году, но женщины в Австралии доживают до глубокой старости. Алла Николаевна была намного моложе мужа и через двадцать семь лет после его смерти, когда Игорь Казагранди пил чай у меня на кухне, наверняка еще здравствовала. В то время ей не исполнилось и восьмидесяти — по австралийским меркам возраст вполне дееспособный. Не потомки соратников полковника по борьбе с большевиками, внезапно озаботившиеся судьбой его прозябавшего в Казахстане внука, а она, родная тетка, выхлопотала ему вид на жительство, оплатила билет на самолет и опекала его, пока он учил язык и обустраивался в Сиднее. Другой родни у нее не было. Перед смертью миссис Коджак обрела опору в молодом, не обремененном семьей племяннике, как он в ней — перед началом новой жизни под шумящими на океанском ветру пальмами. Зеленый континент стал для Игоря той тихой гаванью, о которой мечтал его дед, собираясь вести своих всадников в Индокитай или в Персию.

5

Моя переписка с Игорем давно прекратилась, но сейчас я опять о нем вспомнил. Сохранившийся электронный адрес вывел меня на сайт его фирмы. Она значилась под тем же названием, включавшим в себя первые четыре буквы фамилии владельца, значит, он остался прежним. Перечень предоставляемых его конторой юридических услуг еще и разросся.

Я набрал в поисковике: Казагранди. Среди текстов, где речь шла о полковнике, мелькнула фотография внука в компании вспомнивших о своих корнях австралийских казаков. Все в гимнастерках и галифе, он один в рубашке с галстуком. Полысел, но выглядит молодо, при встрече я бы его узнал. Здесь же сообщалось, что для регистрации новой станицы в Сиднее казаки совершенно случайно выбрали фирму Игоря, а он — о чудо! — оказался внуком героя Белого движения. В этом усматривалась рука Провидения.

У меня были фотографии его бабушки и тетки, я различал их почерк, помнил их адрес в Харбине: ул. Новоторговая, № 47. Я решил простить Игорю, что он так и не соизволил написать мне о моей книге, и послал ему выплывшие из небытия гонконгские анкеты. В молодости они бы для него мало что значили, его тогда волновал только дед, загадочный герой, простерший над ним, затерянным в постсоветском захолустье безработным выпускником областного юрфака, плащаницу своей трагической славы, а теперь Игорь вступил в тот возраст, когда семейная история расширяет пространство нашей собственной жизни. Все мы однажды с грустью обнаруживаем, что ее пределы очерчены уже навсегда.

Ответ Игоря пришел в тот же день, но состоял из единственного слова: "Спасибо".

Ни моего имени в начале, ни подписи в конце. Восклицательный знак, и тот отсутствовал. Это было хуже, чем если бы он вовсе не ответил.

Почему?

Прошло два или три дня, прежде чем я со стыдом и ужасом все понял, но потом уже не мог вспомнить, в связи с чем снизошло на меня это озарение. Ход предшествовавших ему мыслей напрочь изгладился из памяти. Такого не могло быть, если бы то, о чем я перед этим думал, имело хоть какое-то отношение к тому, что мне открылось, но эту раздвоенность сознания я тоже отметил задним числом.

Я схватил второе издание своей книги об Унгерне и в главе, где говорилось о Казагранди, глазами Игоря прочел приведенную здесь цитату из Павла Петровича Бажова. Соседство этих имен, едва ли еще где-то встречавшихся рядом, объяснялось просто: в 1918 году, при наступлении белых из Сибири на Урал, Казагранди командовал полком в 1-й Сибирской армии, а будущий автор "Малахитовой шкатулки", в то время политработник 3-й армии Восточного фронта борьбы с мировой контрреволюцией, служил в редакции дивизионной газеты "Окопная правда".

Тогда же некие очевидцы поведали ему следующее: "Осмотрев захваченных по обвинению в большевизме в Туринской тюрьме, Казагранди выбрал единственного там еврея — Кухтовича, привязал веревкой к коробку и стал разъезжать по городу. Бьется человек, падает, а он его — плетью. Полуживого вытащил Кухтовича за город, к Верхотурскому тракту, заставил вырыть яму, тут же расстрелял и забросал землей".

В первом издании "Самодержца пустыни", которое Игорь читал в Усть-Каменогорске, еще до визита ко мне, этой цитаты не было, я включил ее во второе, прочитанное им в Сиднее, а в нем как назло не цитировались известные ему с моей же подачи слова Рассолова о том, что дед "проповедовал всепрощение и любовь к противнику". Рассказ о садистской жестокости Казагранди, не уравновешенный свидетельством о его милосердии, заставлял заподозрить меня в тенденциозности. Ничего удивительного, что год назад Игорь не счел нужным поделиться со мной впечатлениями о прочитанном, а когда я снова полез к нему с этими анкетами, ясно дал понять, как он ко мне относится.

Знание, которое раньше по крохам выискивали в библиотеках, ныне легко добывалось оптом. Я сел за компьютер и в пару кликов установил, что действительно, рабочий Туринского завода Кухтович был расстрелян белыми в 1918 году. Настораживала разве что его национальность. Принять Кухтовича за еврея Казагранди мог лишь в слепой ненависти к этому проклятому племени: обычная белорусская или украинская фамилия, к тому же они были тезки, оба — Николаи. Я не встречал ни одного еврея с таким именем.

Мой отчим Абрам Давидович рассказывал мне, как в детстве пришел к отцу и заявил ему, что хочет взять себе другое имя. "Какое же имя тебе нравится?" — поинтересовался отец. "Коля", — выбрал отчим. "Ну уж нет!" — вскипел родитель, и бедный мальчик остался Абрамом. Это, впрочем, не помешало ему жениться на любимой женщине, заменить мне отца и пользоваться всеобщим уважением на Мотовилихинском пушечном заводе в Перми, где он проработал от института до пенсии. Неизвестно еще, как бы у него все сложилось, будь он Николаем.

О Казагранди в связи с Кухтовичем нигде, кроме как у Бажова, не упоминалось. Было, не было, кто теперь скажет? Я не так безоглядно, как сиднейские казаки, верил в Провидение и не мог допустить, что, если, о чем извещал тот же источник, сын Кухтовича стал обожаемым учениками директором школы в родном Туринске, а полковничий сын — жалким чертежником на харбинской фанерной фабрике и лагерным сидельцем, это свидетельствует о явленном на детях воздаянии за грех одного отца и страдания другого. То, что Казагранди в Монголии проповедовал любовь к противнику, не снимало с него подозрения в убийстве, но и не доказывало его раскаяние, а следовательно, и вину. Точно так же не стоило обвинять Бажова во лжи на том основании, что впоследствии он сочинял сказки.

По инерции я обратился к его биографии, и тут меня ожидал сюрприз: после поражения красных под Пермью, посидев у белых в тюрьме, Бажов, как оказалось, не попытался вслед за разгромленной 3-й армией уйти на запад и не остался в родных краях, но почему-то двинулся на восток, в глубокий тыл Колчака, и осел не где-нибудь, а в Усть-Каменогорске. Там он будто бы возглавлял большевистское подполье, однако на этот счет у современников имелись различные мнения; по возвращении на Урал его даже исключили из партии. Потом, правда, восстановили, а уже после войны на родине Игоря появилась улица Бажова, одна из центральных, так что за тридцать лет, прожитых в Усть-Каменогорске, миновать ее Игорь не мог. С детства, как мы все, он знал про оленя с серебряным копытцем и Хозяйку Медной горы, но думать не думал, что великий сказочник не обошел вниманием и его деда.

Я прикрыл глаза, и передо мной встали все герои этой истории: Унгерн, Казагранди, его жена и дети, Игорь, Рассолов, Коджак, Бажов, Кухтович, я сам. Фон — что-то вроде предзимней монгольской степи с пологими голыми сопками, сумерки, меркнущее пустынное небо. Такие пейзажи являются нам во снах как преддверие страны мертвых. Мы стояли на разной высоте и на разном расстоянии друг от друга, поэтому одни фигуры выглядели крупнее и четче, другие — мельче и туманнее. Я мысленно соединил всех нас линиями сообразно связям, которые между нами существовали, и заметил, что вязь этих сложно переплетенных извилистых нитей образует подобие орнамента. В нем чудились фрагменты латинских и кириллических букв. Казалось, если расшифровать эту тайнопись, можно узнать о жизни и смерти что-то очень важное, такое, чего иначе никогда не узнаешь, но одновременно я понимал, что смысла здесь не больше, чем в оставляемом волнами на прибрежном песке узоре из пены.

Я пошел на кухню и рассказал обо всем жене.

— Понятно, — сосредоточенно покивала Наташа. — На его месте я бы тоже решила, что ты катишь бочку на деда. Все, что тебе известно о нем хорошего, утаил, а плохое добавил.

— Это вышло нечаянно, — оправдался я.

— А получается, что нарочно. Насколько я помню, про Рассолова ты узнал в Новосибирске. Это середина девяностых, а второе издание "Самодержца пустыни" вышло в прошлом году. Почему ты туда это не вставил?

— Забыл.

Она удивилась:

— То есть как?

— Забыл и всё.

— Не верю.

— Здрасте! Зачем мне врать?

— Я не говорю, что ты врешь. Наверное, была какая-то причина, но тебе кажется, что нет. Надо покопаться в себе. Возможно, у тебя сработало подсознание.

— Чушь! — разозлился я. — Ты же знаешь, у меня таких выписок тысячи. Всех не упомнишь.

— В любом случае напиши ему и все объясни.

— Что я могу ему объяснить, если даже ты не понимаешь?

— Было бы желание, слова найдутся, — сказала Наташа с той фальшивой интонацией, которая появлялась у нее, когда она считала нужным в чем-то меня убедить, но сама в это не верила.

Затем ее голос окреп:

— Я не хочу, чтобы он о тебе плохо думал.

— Пусть думает что хочет, — отмахнулся я. — Мне все равно.

— А мне — нет. Ты должен ему написать.

— Не буду.

— Почему?

— Обойдется.

Прозвучало так, что жена немедленно сошла со своих позиций и приняла мою сторону:

— Правильно. Ну его к черту!

Мы давно жили на другой квартире и сидели не на той кухне, где в прошлой жизни пили с Игорем чай из парадных чашек ее бабушки. Кухня была с гарнитуром и сияющей от чистящих средств стальной мойкой, а не с облупившейся эмалированной раковиной и мусорным ведром под ней. Занавески были другие, посуда другая. Только чашки остались те же.

Через несколько дней я все-таки написал Игорю письмо. Он ответил, что все в порядке, абсолютно никаких обид. Просто он был очень занят.

2017

Поздний звонок

1 Года через два после того, как у меня вышла книга о бароне Унгерне, позвонил молодой, судя по голосу, мужчина. В издательстве ему дали мой телефон.

— Простите за поздний звонок, не могу дотерпеть до утра, — сказал он, заметно волнуясь. — Для меня это важно. Я звонил раньше, вас не было дома. Завтра суббота, я подумал, что вы, может быть, еще не легли.

Была зима, часов десять вечера. Я пришел на звонок из кухни и взял трубку, не включая свет. Сын спал в другой комнате. В кухне лилась из крана вода, жена спокойно мыла посуду, не пытаясь, как обычно делала днем, нетерпеливым шепотом выведать, кто звонит. Она постоянно ждала какого-то судьбоносного для меня звонка, который волшебно изменит нашу жизнь, но в это время суток такой звонок раздаться не мог.

— В вашей книге упоминается один человек, офицер, — продолжал интеллигентный голос в трубке. — Возможно, это мой дед.

Я не удивился. Мне уже звонил правнучатый племянник атамана Семенова, работавший геологом на Камчатке; внук колчаковского генерала Анатолия Пепеляева, державший хлебный ларек на Никулинском рынке, возил меня по Москве на своей старенькой "шестерке", а внука убитого по приказу Унгерна полковника Казагранди, милого застенчивого юношу из Усть-Каменогорска, я поил чаем у себя дома. Меня находили люди с известными фамилиями и потомки тех, о ком все забыли. Кто-то писал, кто-то звонил. С кем-то я встречался, от кого-то норовил отделаться. Одни хотели исправить допущенные мною ошибки, другие горели желанием сообщить о своих предках что-то такое, чего не было в моей книге, третьи надеялись узнать что-нибудь от меня, не сомневаясь, что я знаю больше, чем написал, и мне приходилось их разочаровывать, но во всех случаях я не мог избавиться от ощущения, будто эти люди и те, чья кровь текла в их жилах, не имеют между собой ничего общего. Казалось, ни при каких обстоятельствах эти не могли бы превратиться в тех, и наоборот. Типичное заблуждение человека, слишком долго прожившего в спокойные времена и наивно полагающего, что человек — величина постоянная.

— Хотелось бы знать, — объяснил мужчина, что именно ему от меня нужно, — не известно ли вам еще что-нибудь об этом офицере.

Он назвал фамилию.

Люди с такой фамилией есть едва ли не в каждой конторе и почти в каждом школьном классе. Сразу связать ее с Унгерном я не сумел.

— Поручик, — добавил мужчина.

Он, видимо, почувствовал паузу и решил, что чин деда поможет мне его вспомнить.

— Не помню, — признался я. — В моей книге десятки фамилий. В каком эпизоде он упомянут?

Вопрос был предельно прост, но ответа не последовало — на том конце провода воцарилось молчание. Послышался обращенный в сторону быстрый неразборчивый шепот. Я понял, что мой собеседник советуется с кем-то, кто стоит возле него.

— Минуточку, — сказал он. — Я передам трубку отцу.

Я услышал шумное астматическое дыхание, из него выплыл другой мужской голос, постарше и попроще в интонациях. Опять прозвучала та же фамилия, но степень родства повысилась на одну ступень.

— Думаю, это мой отец. Он был с Унгерном в Монголии, с тех пор мы не имели от него никаких известий. Я тогда только родился, мать мне потом рассказала. Мы жили в Иркутске. Конечно, фамилия распространенная, но мне кажется, это он.

— В каком месте о нем написано?

— Там, где говорится о побеге Ружанского.

Я вспомнил мгновенно.

Поручик, о котором они спрашивали, приятельствовал с поручиком Ружанским и его женой, в этом качестве он и фигурировал в приведенной у меня цитате из мемуаров одного унгерновского офицера.

Теперь я понял, почему позвонивший мне мужчина не стал отвечать на мой вопрос и передал трубку отцу. Старик принадлежал к поколению менее чувствительному.

— Что вам еще про него известно? — спросил он.

— Ничего.

— Имя хотя бы знаете?

— Нет.

— А инициалы?

— Ничего не знаю. Только фамилию.

Да и она в сочетании с его чином всего однажды промелькнула на сотнях прочитанных мною страниц, газетных полос, архивных листов с пробитой через плохую копирку бледной машинописью. Иного следа своей жизни поручик не оставил. От окончательного забвения его уберегло лишь знакомство с Ружанскими.

2

Имен этой пары история тоже не сохранила, но я знал, что оба были молодые, красивые, из хороших семей и страстно любили друг друга. Он окончил Технологический институт в Петербурге, она была воспитанницей Смольного. Ружанских называли супругами, но венчались ли они, не известно, в Монголии консисторских свидетельств никто ни у кого не требовал, довольно было объявить себя мужем и женой, чтобы таковыми считаться.

Обстоятельства, при которых они оказались в Азиатской дивизии, покрыты мраком. Вероятно, как тысячи других, пришли в Забайкалье с остатками разгромленных Сибирских армий, рассчитывали уехать в Китай, но попали к Унгерну. Тот насильно мобилизовывал пробиравшихся в зону КВЖД колчаковских офицеров. Ружанского прикомандировали к штабу, жену отправили служить в лазарет. Бежать они решились уже в Монголии, вскоре после первого, неудачного штурма занятой китайским гарнизоном Урги.

В трехдневных боях Унгерн потерял десятую часть бойцов убитыми, треть — ранеными и обмороженными. Четверо из каждых десяти офицеров остались лежать мертвыми на ургинских сопках. Сняв осаду, барон увел дивизию на восток от столицы и в декабре 1920 года встал лагерем в верховьях Керулена, в районе монастыря Бревен-хийд. Позади осталось самое страшное для него и его всадников время, когда ночами спали на снегу, голодали, вместо отсутствующих полушубков и шинелей сами шили себе первобытные хламиды из звериных шкур. На Керулене монгольские князья пригнали Унгерну свежих лошадей взамен павших от бескормицы, снабдили мясным скотом, теплой одеждой, юртами. Ружанский находился в лагере, его жена — в Бревен-хийде.

Дивизионный лазарет, где она служила сестрой милосердия, был размещен в примыкавших к монастырю юртах и китайских фанзах. Поручик с простецкой фамилией долечивался здесь после полученного под Ургой ранения. Дело шло на поправку, он уже мог ходить. Не исключено, что бывшая смолянка ему нравилась, и его дружба с Ружанским началась по ее инициативе — женщины умеют избавляться от докучливых воздыхателей, подсовывая им в друзья своих мужей.

До лагеря отсюда было около тридцати верст, вряд ли супруги имели возможность часто видеться, но план побега они выработали вместе. Раненый поручик, их ровесник и приятель, ничего не знал. Ружанские не доверяли никому. Приглашать его присоединиться к ним не имело смысла, он еще не настолько окреп, к тому же никто третий был им не нужен. Жизнь научила их полагаться только друг на друга.

К Рождеству рухнули последние надежды, что весной Унгерн поведет дивизию в зону КВЖД. Он готовился вновь штурмовать Ургу, а колчаковцы досыта навоевались в Сибири. Они бесконечно устали от войны, но бежать в Маньчжурию отваживались немногие, и тех чаще всего ловили по дороге. В тридцатиградусные морозы пятьсот верст до китайской границы нужно было одолеть без подменных лошадей, без запасов еды и конского корма, с перспективой быть пойманными и умереть под палками экзекуторов из команды хорунжего Бурдуковского. Эти ребята знали толк в заплечном ремесле. Их березовые палки именовались “бамбуками”, как у китайских палачей, но били ими не по пяткам.

Бурдуковский, в прошлом денщик барона, здоровенный малый с рябым от оспы лицом забайкальского гурана-полукровки, имел прозвище Квазимодо и гордился умением с пяти ударов забить виновного насмерть. Его подручные владели искусством особой монгольской порки, при которой мясо отделяется от костей, при этом человек какое-то время остается жив. Лишь вселяя ужас, Унгерн мог поддерживать дисциплину в разлагающейся, одичавшей, загнанной на край света дивизии. Дезертиров он не щадил. Даже несколько найденных в палатке у одного офицера сухих лепешек стали неопровержимым доказательством подготовки к побегу и основанием для смертного приговора, но Ружанские так жаждали покоя, хоть какого-то уюта, элементарной возможности каждую ночь быть вдвоем, что их уже ничто не пугало.

План побега был совершенно авантюрный. Трудно понять, почему они верили в успех, если при попытке сделать то же самое погибали люди куда более опытные. Может быть, взаимная любовь казалась им залогом удачи. Монгольская зима, бесснежная и жестокая, — не лучшая пора для бездомных любовников, приходилось проявлять чудеса изворотливости, чтобы какие-нибудь жалкие четверть часа провести наедине в одной из лазаретских юрт. Многомесячная разлука с редкими бурными свиданиями довела их страсть до градуса полного безумия, Ружанские могли усмотреть в ней достаточную гарантию того, что ничего дурного с ними не случится, ведь высшие силы, сотворившие такое чудо, не захотят губить собственное творение и не оставят их своей милостью. Скорее всего, ни один не признавался в этом другому, а то и самому себе, но где-то в темном углу сознания, укромная, робкая, беззащитная, бегущая от слов, могущих вывести ее на свет и тем самым — убить, подобная мысль должна была присутствовать, иначе им не хватило бы дерзости исполнить задуманное. В случае поимки обоим грозила мучительная казнь, иллюзий они не питали, на прощение не надеялись и сочли, что не стоит идти на смертельный риск, если будущая жизнь обернется чередой беженских скитаний и унижений бедности. Решено было бежать не с пустыми руками.

Состоявший при штабе Ружанский сохранил две служебные записки Унгерна с какими-то его распоряжениями. Барон, как всегда, написал их карандашом на листках, вырванных из полевой книжки. Вероятно, оба приказа были отданы в письменной форме, затем отменены в устной, а ненужные листки остались у Ружанского, и он их не уничтожил. Карандаш — не чернила, из этих записок и вырос весь замысел.

По рассказам мемуаристов, Ружанский, не тронув подпись Унгерна, аккуратно стер прежний текст и вписал другой. В первой записке казначею дивизии, капитану Бочкареву, приказывалось выдать ему 15 тысяч рублей золотом, вторая удостоверяла, что он с важным заданием командируется в Хайлар, и предписывала всем русским и монголам оказывать ему в этом всяческое содействие.

Впрочем, едва ли Ружанский научился подделывать почерк Унгерна так ловко, что написал это целиком, от начала до конца. По-видимому, записки были того же содержания, ему требовалось всего лишь заменить указанные в них фамилии на свою, а в первой еще и увеличить цифру. В оригинале она имела меньше нулей, но их количество на меру наказания не влияло, бескорыстного беглеца тоже ждала смерть.

Вместе две записки выглядели правдоподобнее, чем по отдельности. Вторая подтверждала истинность первой — в то время Унгерн посылал в Маньчжурию курьеров, доверяя им крупные суммы для закупки патронов, снарядов, медикаментов, вербовку офицеров и казаков. Перед походом в Монголию он получил от Семенова 300 тысяч рублей из отправленного Колчаком в Приморье эшелона с золотым запасом России. В Чите атаман отцепил два вагона и конфисковал груз в свою пользу. Часть этой добычи позже досталась Унгерну, иначе после поражения под Ургой у него не было шансов сохранить дивизию. Без денег монголы не стали бы снабжать его всадников, а те, не получая ни продовольствия, ни жалованья, отказались бы ему подчиняться.

Для побега был выбран день, когда барон уехал из лагеря на встречу с монгольскими князьями. Ружанский узнал об этом заранее и предупредил жену, чтобы та была готова к назначенному сроку. При неудаче никто бы не поверил, что она не посвящена в планы мужа, он все равно утянул бы ее за собой в могилу, даже если бы ему хватило стойкости под пытками взять всю вину на себя. Легко представить, что он чувствовал, предъявляя записки Бочкареву. Казначей мог заметить вставки или усомниться в подлинности самих распоряжений и обратиться за разъяснениями к оставшемуся в лагере заместителю Унгерна, генералу Резухину, поэтому Ружанский пришел в юрту к Бочкареву поздно вечером, когда тот уже спал, поднял его и сказал, что прибыл от барона с приказом сегодня же получить деньги и тотчас выезжать.

Ночью, при свете жировика, обнаружить следы подчистки было труднее, к тому же все в штабе знали, что Бочкарев, недавно ставший казначеем, очень дорожит своей новой должностью. Его мучил страх из-за какой-нибудь оплошности опять очутиться в строю. Расчет Ружанского строился на том, что Бочкарев побоится не выполнить приказ Унгерна, но в случае сомнений не осмелится разбудить Резухина, Бурдуковского или еще кого-то из близких барону людей, дабы не навлечь на себя их гнев, если его осторожность окажется напрасной. Так и случилось: поколебавшись, он взял с Ружанского расписку и выдал деньги.

Упаковки с золотом побросали в кожаные сумы. Монеты были пяти- и десятирублевого достоинства. В какой пропорции они распределялись, не имело значения, по весу в тех и других на рубль приходилось чуть меньше грамма. Две сумы тянули примерно на четырнадцать кило — при больших переходах тяжесть существенная. Чтобы не потерять в скорости, Ружанский пока навьючил их на вторую, предназначенную для жены лошадь, которую Бочкарев счел запасной. Теперь предстояло успеть затемно добраться до Бревен-хийда, где ожидала жена, и вдвоем немедленно скакать дальше. Утром, не привлекая внимания, выехать из монастырского поселка они не могли.

Сестра милосердия — не та фигура, чтобы поднимать тревогу из-за ее исчезновения, да и гнаться за ней тут было некому. В лазарете лежали с тяжелыми ранениями, легкораненные оставались в седле. Все зависело от того, как быстро удастся достичь границы. Ружанский надеялся, что обман вскроется не раньше, чем Унгерн вернется в лагерь. Его ждали через два дня, к тому времени они с женой будут уже далеко, запоздалая погоня их не настигнет. Главное — тепло одеться и не давать себе отдыха.

Вторая записка давала Ружанскому право пользоваться подменными лошадьми на уртонах. Подозрения могла вызвать разве что его спутница, но к востоку от Бревен-хийда унгерновских отрядов не было, а монголов-уртонщиков такие вещи мало заботили. Перейти границу не составляло труда, китайские солдаты караулили только таможенные заставы на Хайларском тракте.

При кажущейся разумности всего замысла сквозь его хлипкую ткань, до предела прочности растянутую на нескольких шатких опорах, чернела бездна, и Ружанская должна была чувствовать это острее, чем муж. В таких ситуациях у женщин, даже молодых, ужас не притупляется ни азартом игрока, ни простодушной мужской верой в собственную исключительность. Они рано узнают, из какого теста слеплены все люди. Хлопоты в лазарете, постоянная забота о еде, о тепле, о необходимости быть привлекательной ровно настолько, чтобы не послали собирать сухой верблюжий навоз для очагов, но и не лезли бы с ухаживаниями, помогали справиться со страхом, но сейчас ей абсолютно нечем было себя занять. Оставалось ждать и молиться. Что она пережила той ночью, понятно без слов. Особенно когда ночь перевалила за половину.

Гораздо раньше, около полуночи, Ружанский со своим фальшивым командировочным удостоверением благополучно миновал сторожевые посты, выставленные на разном удалении от лагеря. Чиркала спичка, пламя выхватывало на листке характерную подпись Унгерна. Это снимало все вопросы. Коробок спичек считался большой ценностью, освещать документ полагалось тому, кто его предъявлял.

Оставшись один, Ружанский, должно быть, испытал колоссальное облегчение. Самая опасная часть замысла удалась, деньги получены. Казалось, теперь уж точно все будет хорошо. Наполненные золотом сумы доказывали благосклонность судьбы.

Тридцать верст — три-четыре часа рысью. Длинные декабрьские ночи позволяли попасть в Бревен-хийд задолго до рассвета. Полной темноты в степи не бывает, дорога знакома, он ездил по ней не раз, но то ли днем прошел нечастый в Монголии снегопад, и при звездном свете снег изменил привычный пейзаж, то ли к вечеру мороз спал, под облачным небом ночь выдалась темнее обычного, то ли в эйфории Ружанский просто не заметил, как сбился с пути. В конце концов он сообразил, что заплутал в сопках, и повернул назад, но время было потеряно.

За это время случилось то, чего он не предполагал, — измученный сомнениями Бочкарев, так и не заснувший после его отъезда, все же нашел в себе смелость разбудить Резухина, не дожидаясь утра. Даже спросонья тот моментально все понял, через десять минут четверо забайкальских казаков под командой есаула Нечаева помчались за беглецом. Где нужно его искать, выяснили быстро. Нашлись добрые люди, подсказавшие им, что Ружанский не может сбежать один, без любимой жены, значит, обязательно заедет в Бревен-хийд.

По пути туда казаки его не видели — в это время он плутал в стороне от дороги, а когда выбрался на нее, они успели проскакать дальше. Не зная о погоне, которая его опередила, Ружанский двинулся вслед за ней. Рассвет еще не наступил. Под утро он был в Бревен-хийде, но там его уже ждали.

Через два дня Унгерн вернулся, тут же ему доложили о случившемся. Бурдуковскому приказано было устроить показательную экзекуцию, тот со своей командой полетел в Бревен-хийд, но сам барон остался в лагере. Он никогда не посещал пыточных застенков, все казни тоже совершались без него.

Перед смертью Ружанского истерзали пытками, перебили ему ноги — чтобы не бежал, руки — чтобы не крал, а жену отдали казакам и вообще всем желающим.

“Для характеристики нравов, — замечает мемуарист, — упомяну, что один из раненых офицеров, близко знавший Ружанских, — тут называлась фамилия поручика, о котором шла речь, — не выдержал и, покинув лазарет, прошел в юрту, где лежала полуобезумевшая женщина, дабы использовать свое право”.

За неимением в степи деревьев Ружанского повесили в проеме ворот китайской усадьбы. Жену привели в чувство, заставили присутствовать при казни мужа, потом расстреляли. На расстрел Бурдуковский согнал всех служивших в лазарете женщин, чтобы они “в желательном смысле могли влиять на помышляющих о побеге мужей”.

Другие зрители пришли по своей воле. Был ли среди них поручик с расхожей фамилией, неизвестно.

3

— Сын показал мне это место в вашей книге, — сказал старик. — Я сразу подумал, что имеется в виду отец.

— Почему вы так подумали? — удивился я.

— Он не мог поступить иначе. Вы же понимаете, другого выбора у него не было.

— Извините, не понимаю.

— Чего тут непонятного? Сын же вам все сказал.

— Что именно?

— Подождите, не кладите трубку, — попросил он.

И в сторону:

— Ты, что ли, ему не сказал?

Сын что-то отвечал, оправдываясь, затем его интонация изменилась. Он на чем-то настаивал.

— Нет, — отказал ему отец. — Я сам.

Опять послышалось его астматическое дыхание.

— Я был в ванной, прихожу, а он уже с вами разговаривает. Не мог потерпеть пять минут. Я думал, он вам все объяснил. Оказывается, ничего подобного...

Он помолчал, прежде чем сказать:

— Отец был за красных, его направил к Унгерну разведотдел Пятой армии. Штаб армии находился в Иркутске, оттуда его послали в Монголию для агентурной работы. Как бывший офицер он не должен был вызвать подозрений, тогда многие офицеры бежали в Китай через Монголию. Вот вы написали, что отец пошел к этой женщине, и не задумались, почему он так поступил. А что ему оставалось делать? Приходилось поступать как все, чтобы не вызывать подозрений. У него было ответственное задание, он не мог допустить провала.

Старик откашлялся прямо в микрофон и спросил:

— Теперь поняли?

Я стоял лицом к окну. Жили на одиннадцатом этаже, высоких домов рядом не было. Все огни лежали внизу, с другого конца комнаты казалось, что за окном нет ничего, кроме ночной бездны.

— Понял, — сказал я.

— А зачем писали, не разобравшись?

— Я же не знал.

— Не знаешь — не пиши, — перешел он на "ты".

Его дыхание становилось все более шумным.

— Отец так и сгинул в Монголии, больше мы о нем не слыхали. Мать за него ни пенсию не получала, никаких льгот, ничего. Ее же еще и никуда на работу не брали как жену офицера, жили в нищете. У соседей при нэпе был сепаратор, мать у них для меня, маленького, обрат выклянчивала. Я лет до пяти обрат пил вместо молока, настоящее молоко в глаза не видел. Думал, обрат и есть молоко. Первый раз налили молока, не хотел его пить. Не знал, что молоко белое.

Старик зашелся в приступе кашля.

— Про пенки понятия не имел, — расслышал я сквозь хрип и надсадное перханье.

Трубкой снова завладел сын.

— Вы, наверное, удивляетесь, что я не постеснялся вам позвонить, — заговорил он торопливо, будто опасаясь, что отец отнимет у него телефон, — но, возможно, было не совсем так, как вам кажется. Отец не все понимает. Ведь Ружанская лежала в юрте одна, дед вошел туда один.

— Если это был ваш дед, — вставил я.

Он оставил мою реплику без внимания.

— Почему вы так уверены, что дед сделал то же, что другие? Может быть, он с ней просто поговорил, постарался как-то утешить перед смертью. Почему вы решили, что он повел себя как все?

— Я лишь процитировал свидетеля.

— Свидетеля чего? Что дед прошел в юрту? О том, что происходило внутри, ваш свидетель не знал и знать не мог, его обвинение ни на чем не основано. Это чистой воды домысел, а у моей гипотезы есть косвенное подтверждение. Вы меня слушаете?

— Очень внимательно.

— В Монголии дед пропал без вести, был, очевидно, разоблачен как красный разведчик и казнен по приказу Унгерна. Логично?

Я согласился, хотя поручик вполне мог и не погибнуть, а уйти в Маньчжурию с остатками Азиатской дивизии. Особенно в том случае, если никаких сведений в штаб Пятой армии передать не сумел и боялся, что придется отвечать за участие в боях и экзекуциях, простительное только для ценного информатора. Или еще проще: завел себе новую подругу и не захотел возвращаться к семье.

— Значит, дед как-нибудь выдал себя, — звенел голос в трубке. — Это могло произойти при условии, что к тому времени его уже держали под наблюдением. Возможно, Бурдуковский подсматривал, когда он остался наедине с Ружанской, и его поведение показалось подозрительным. За ним установили слежку...

Сквозь несмолкающий кашель донесся другой голос:

— Клади трубку! Чего ты перед ним распинаешься!.. Клади, я сказал!

Раздались короткие гудки. Старик, видимо, прижал рычаг.

Положив трубку, я еще пару минут постоял у телефона — ждал, что младший позвонит снова. Он не позвонил.

2010

Убийца

1 Весной 2010 года, прежде чем отослать в издательство новый вариант “Самодержца пустыни”, я еще раз его отредактировал. Это заняло у меня недели две. Моя Наташа уехала в Москву, я жил в Петербурге один и допоздна засиживался за компьютером. Было начало мая, светло, холодно.

На исходе первой недели я дошел до главы о гибели евреев, живших в столице Монголии, Урге. По приказу Унгерна почти все они были убиты после того, как он штурмом взял город, выбив из него китайские войска.

Азиатская дивизия вступила в Ургу 4 февраля 1921 года. Сразу же, пишет очевидец, “выделилась группа лиц, конкурировавших между собой в поиске еврейских домов”. В первую очередь искали дома забайкальских купцов и скотопромышленников, бежавших в Монголию от большевиков, хотя уж в них-то никак нельзя было видеть главных, по словам Унгерна, виновников революции. Наводчиком служил его любимец, доктор Клингенберг из Кяхты. Он приводил казаков к бывшим пациентам, смотрел, как мужчин рубили шашками, а изнасилованных женщин отравлял стрихнином. В итоге ему досталась прекрасная обстановка для его квартиры при русском консульстве и множество ценностей. Помимо идейных соображений, убийцами двигал практический интерес: им причиталось две трети имущества жертв. Одну треть полагалось передавать в дивизионную казну, но отдавали никчемные вещи, все стоящее забирали себе. Позднее на складах интендантства валялись оставшиеся от убитых и никому не нужные “ворохи ношеного платья”.

Нескольких “полезных жидов” Унгерн пощадил, как, например, зубного врача, кое-кому удалось бежать, а две еврейские семьи, всего одиннадцать человек — мужчин, женщин и детей, — нашли убежище у национального героя Монголии, князя Тогтохо-вана. Этот суровый воитель начал освободительную войну с Пекином задолго до Унгерна, но теперь состарился и от политики отошел. Большую часть года он проводил в степи, но в столице у него имелся зимний дом — бейшин. В нем и были укрыты евреи. Теперь они считались гостями хозяина и могли рассчитывать на его покровительство. Видимо, Тогтохо обещал, что когда суматоха уляжется, он поможет им выбраться из города и добраться до китайской границы.

Об исчезновении этих людей стало известно, их начали искать. Поисками руководил полковник Сипайло, начальник контрразведки и, по мнению современников, человек с “садическими наклонностями”. Унгерн назначил его комендантом Урги.

Вскоре ему донесли, у кого прячутся пропавшие евреи, но вторгнуться к Тогтохо и захватить их Сипайло не мог. По отношению к легендарному князю требовалось соблюдать корректность. Его слава и авторитет, которым он пользовался у монголов, исключали прямое насилие.

Сипайло нанес ему визит, князь все отрицал. Проводить обыск не посмели, но за домом установили скрытое наблюдение. Наконец, какие-то доказательства пребывания там евреев были получены и предъявлены хозяину; Тогтохо пришлось во всем признаться, однако выдать беглецов он отказался наотрез, заявив, что в таком случае покроет свое имя “несмываемым позором”. Сипайло ушел ни с чем, но все понимали, что отступать он не собирается.

Однажды ночью к княжескому бейшину подъехала группа казаков, явившихся якобы не по приказу начальства, а по личной инициативе; они не то подняли князя с постели и вызвали его за ворота, не то просто орали под окнами, угрожая расправиться с ним, если не выдаст спрятанных “жидов”. Сипайло не позволил бы им осуществить эти угрозы, но провокация имела успех: когда Тогтохо ненадолго отлучился из столицы, его напуганная родня заставила евреев покинуть усадьбу. Если это правда, отъезд князя был не случаен, и домочадцы действовали пусть не по его указанию, но с его ведома.

Есть известие, что евреев никто не выгонял, они ушли сами, не желая погубить покровителя, но в добровольный исход я не верил. На подобные порывы способны одиночки, а не отцы семейств, знающие, что их жены и дети умрут вместе с ними.

По другой версии, Тогтохо не испугался угроз, не поддался на провокацию и не нарушил законы гостеприимства. Сипайло сделал вид, что с этим смирился, но засаду возле дома не снял. Сидевшие в ней люди терпеливо подстерегали добычу. Спустя некоторое время, успокоившись, поздно вечером, в темноте, когда на улице не было ни души, евреи впервые за много дней вышли за ворота размять ноги и подышать свежим воздухом. Тут они и были схвачены.

Через пару дней их трупы оказались на городской свалке возле речки Сельбы. Здесь обычно тела казненных оставляли на съедение ургинским псам-трупоедам. Хоронить их запрещалось.

Обо всем этом, расходясь лишь в деталях, написали несколько мемуаристов, но никто не упомянул о том, что я узнал из анонимной заметки в харбинской газете "Заря" за 1922 год. Неизвестный автор, почему-то не пожелавший подписать свой опус ни инициалами, ни псевдонимом, сообщал, что одну из укрывавшихся у Тогтохо евреек, юную красавицу, спас молодой офицер из состоявшей в подчинении у Сипайло комендантской команды. Они вместе бежали в Маньчжурию. Офицер полюбил спасенную девушку и женился на ней, но теперь она убила мужа, потому что не могла простить ему смерть павших от его руки родственников.

У меня были сомнения, оставлять в книге эту историю или лучше все-таки вычеркнуть как не подтвержденную другими источниками. Я выключил компьютер и встал с сигаретой у окна.

Окно выходило во двор, но это был не классический питерский двор-колодец, а застроенное флигелями и малоэтажными нежилыми зданиями пространство между двумя параллельными улицами. С четвертого этажа видно было скопище покрытых ржавым кровельным железом крыш, которые через пару лет станут цинковыми, и огромное бледное небо, на переднем плане прорезанное десятком высоких, с полуразвалившимися навершиями, кирпичных дымоходов разной степени стройности.

На окне, лицом к комнате, стояла железная фигурка Гуань Инь, богини милосердия, женской ипостаси бодисатвы Авалокитешвары. Я купил ее в любительской антикварной лавке на Моховой, неожиданно открывшейся в продуктовом магазине, рядом с отделом, где торговали сухофруктами и орехами, и так же внезапно исчезнувшей. В левой руке она держала бутон лотоса на длинном стебле, правая поднята в благословляющем жесте. Когда я принес ее домой, внутри нашлась свернутая в трубочку грязная бумажка, оставшаяся, видимо, не от тех людей, что снесли железную богиню антикварам, а от предыдущих хозяев. Это была краткая инструкция по достижению контакта с Гуань Инь.

В абсолютной пустоте мира следовало представить сине-черное небо, на нем — молочно-белую луну, окруженную мягким сиянием, а когда луна станет похожей на большую жемчужину, прозреть в ней богиню сострадания. Обращаться к ней надо не раньше, чем можно будет различить слезы счастья, выступающие у нее на глазах при возможности помочь чьей-то беде.

Она в самой себе слышит обращенные к ней мольбы, поэтому у моей Гуань Инь в знак сосредоточения и отрешенности от мира глаза были почти закрыты, из-под изогнутых в форме лепестков лотоса тяжелых век виднелись лишь узенькие полоски тронутых ржавчиной белков. Такую же, разве что не из железа, а бронзовую, евреи могли видеть в домашнем алтаре у Тогтохо.

Он пережил их на полгода. Когда Ургу заняли красные, Тогтохо был обвинен в сотрудничестве с Унгерном и расстрелян без суда.

Сохранилась единственная его фотография, на ней князь тоже запечатлен с закрытыми глазами. Снимок сделан в тот момент, когда он мигнул.

2 О бегстве офицера и еврейки не упоминалось ни в одной из выходивших в Китае эмигрантских газет, кроме “Зари”, ни в записках свидетелей и участников монгольских событий, ни в протоколах допросов Унгерна, ни в документах штаба Азиатской дивизии, ни в донесениях советских агентов, засланных в Ургу и уцелевших, когда мнимых большевистских шпионов Сипайло истреблял десятками; и все же я склонялся к мысли, что побег имел место. Теперь у меня такой уверенности не было. Случаи дезертирства из Азиатской дивизии тщательно скрывались, а эту совсем уж скандальную историю Сипайло, конечно, постарался не выпустить за пределы узкого круга близких ему лиц. Даже Унгерн мог о ней не знать.

Поверить, что спасенная девушка убила своего спасителя, было сложнее. Тогдашняя харбинская пресса питалась слухами: человек, похороненный одной газетой, воскресал в другой, призраки умерших бродили между живыми, но заметка в “Заре” выпадала из этого ряда одним тем, что в ней не назывались имена ни преступницы, ни ее жертвы.

Может быть, подумал я, автор служил в полиции или был полицейским агентом и учитывал интересы следствия? По тем же соображениям он мог умолчать и о том, что произошло с убийцей, удалось ли ей скрыться или ее арестовали, однако эта шаткая гипотеза не в силах была объяснить, какие причины заставили его утаить способ и орудие преступления.

Пистолет, нож, яд?

Ни слова.

Проще всего было допустить, что в заметке соединены два устных рассказа, почерпнутые из разных источников: в одном случае слух соответствовал действительности, в другом — нет. Мне хотелось верить, что лихому офицеру удалось спасти девушку и она его не убивала, но интуитивно я чувствовал: если верно первое, то и второе тоже правда.

Чем дольше я думал об этой паре, тем сильнее меня мучила их безымянность. Хотелось обоих както обозначить, чтобы они перестали быть просто офицером и еврейкой. Я не знал ни их имен, ни биографий, вообще ничего, что позволяло заглянуть под эти стандартные личины массового производства, но догадывался, что оба были очень молоды. Это говорило о них не меньше, чем его погоны и ее национальность.

Я попытался представить, какой была эта девушка, если офицер, едва увидев ее, решил рискнуть ради нее жизнью. Времени на колебания и сомнения у него оставалось немного — день-два, не больше. Чем она его заворожила? Красотой, да, но какого типа была ее красота? Исходя из того, что ей потом хватило решимости убить мужа, я увидел ее высокой, стройной, но не хрупкой, с еврейскими, зелеными или карими глазами, в первом варианте — загадочными и манящими, во втором — то горящими, то печальными. В остальном — ничего типично семитского, иначе офицер не пленился бы ею так безоглядно. Возможно, по дороге от княжеского бейшина к зданию комендантства, обмирая от ужаса, она еще нашла в себе силы с ним кокетничать в надежде спасти себя и близких.

Пережив смерть родителей, сестер или братьев, она, должно быть, поначалу находилась в шоке, но необходимость держаться в седле, мороз, опасность погони привели ее в сознание. Ночевали у костров, прижавшись друг к другу. Юрты им не попадались; во время боев под Ургой монголы со своими табунами и отарами откочевали подальше от столицы.

Я не знал, как быстро смирилась она с тем, что ее спаситель — убийца ее родных, но в пустынной зимней степи другого выбора у нее не было. Он о ней заботился, кормил, берег от холода, охранял ее сон и рано или поздно перестал внушать смешанное со страхом отвращение. Еще позднее, в Маньчжурии, из благодарности к нему она приняла крещение, пошла с ним под венец, но так и не сумела ответить ему любовью, хотя, наверное, честно старалась это сделать, убеждая себя, что вины на нем нет, ведь если бы он отказался выполнить приказ Сипайло, убили бы его самого. Она с ним спала, и это был его единственный выигрыш в той игре, в которой он поставил на карту собственную жизнь.

Они бежали из Урги в конце февраля или начале марта 1921 года, а сообщение в “Заре” появилось в августе 1922-го. Полтора года эти двое были вместе, для молодых людей — огромный срок. Она еще могла отомстить своему похитителю, убившему ее родных и не давшему ей умереть вместе с ними, — но не мужу. Не настолько же она была хладнокровна, чтобы год с лишним вынашивать план мести и ждать удобного момента, чтобы привести его в исполнение. Или я недооценивал ее еврейскую целеустремленность, дар мимикрии, умение месяцами держать чувства на медленном огне, скрывая их температуру?

А может быть, устав от ее холодности, он начал ей изменять? Ее уязвленная гордость возгоняла до небес пролитую им и разделявшую их кровь, бессонными ночами перед ней вставали окровавленные тени близких, она слышала их голоса и в одну из ночей совершила то, чего они от нее требовали.

И что дальше?

Ничего. Молчание.

Жалел ли офицер пусть не о том, что ее спас, но что женился на ней?

Раскаялась ли она?

Вероятно, она убила его в помраченном сознании, потом к ней не могло не вернуться заглушенное аффектом чувство благодарности к мужу, сказавшее ей все то, что сказало бы и в момент убийства, если бы ему дали слово.

Фантазировать на тему их отношений можно было бесконечно. Усилием воли я вернул себя к реальности, данной мне в ощущениях, еще раз перечитал заметку, и опять, как при первом прочтении, этот странный текст вызвал у меня необъяснимое доверие.

Безличные обороты, которыми он изобиловал, как если бы речь шла не о людях, а о явлениях природы, создавали впечатление, что и девушка, и убитый ею офицер, сам прежде служивший в расстрельной команде, всего лишь игрушки в руках владеющих ими стихий, гораздо более могущественных, чем их личные желания и страсти. Этому, правда, противоречило утверждение автора, что отнюдь не голос крови в ее жилах продиктовал несчастной женщине решение убить мужа. Автор жалел покойного, но ясно давал понять, что преступница вызывает у него не осуждение, а сострадание. Даже для либеральной "Зари", принадлежавшей еврейским коммерсантам, его позиция была чересчур радикальной. По тону заметка напоминала речь адвоката на суде.

Само собой, финал истории мог быть выдумкой репортера, получившего задание срочно дать в номер сенсационный материал, но тогда он сочинил бы или что-то мелодраматическое, в духе немого кино, или, наоборот, использовал стиль сугубо протокольный, чтобы по контрасту с сухостью изложения суть дела производила больший эффект.

Заметка была написана так, словно предназначалась не для газетной колонки происшествий, а для литературного альманаха. Штатный репортер менее серьезно отнесся бы к рядовой для него работе, да и общие фразы вместо конкретной информации указывали скорее на то, что писал не профессионал, с легкостью придумавший бы любые подробности, а человек, боявшийся сказать лишнее.

3

История из “Зари” осталась в моей книге, но с оговоркой о ее небесспорности. Книга вышла осенью, а весной я получил письмо от журналиста Батожаба Раднаева из Улан-Удэ. Он писал, что о судьбе офицера и спасенной им еврейки рассказывается в книжке эмигранта Николая Гомбоева “Охотники Маньчжурии”. Она была издана в 1965 году в Сиднее. К письму прилагался скан этой тоненькой мемуарной книжечки, давалась также справка об авторе и его не совсем обычной родословной.

В 1839 году декабрист Николай Бестужев после каторги был переведен на поселение в Забайкалье, в Новоселенгинск. Здесь он много лет, до самой смерти, прожил с буряткой Дулмой Сабилаевой, имел от нее детей, но так с ней и не обвенчался. Николай Гомбоев приходился ему праправнуком по линии одной из дочерей. Его отец, востоковедсинолог, служил в Министерстве иностранных дел, а мать, Екатерина Георгиевна, в девичестве Ершова, окончила высшие медицинские курсы. Будущий автор “Охотников Маньчжурии” был младшим из двоих сыновей. Жили в Петербурге, но в 1918 году глава семьи увез жену и детей на родину предков, в Новоселенгинск. Год спустя он умер, а Екатерина Георгиевна, не дожидаясь прихода красных, уехала с сыновьями в Монголию, в Ургу, работала врачом в городской больнице. Из всей ургинской жизни десятилетнему Коле Гомбоеву особенно ярко запомнилось, как они с мальчишками ловили форель в Толе и гоняли черных лохматых монгольских собак, которые после взятия города Унгерном грызли валявшиеся на улицах трупы китайских солдат.

Летом 1921 года барон был окончательно разбит, в Ургу вошли Экспедиционный корпус 5-й армии и цирики Сухэ-Батора. Незадолго перед тем Екатерина Георгиевна в третий раз за три года сменила место жительства. То ли опасалась новой власти, то ли ее увлек за собой поток беженцев. В Харбине она долго мыкалась без работы и была счастлива, когда ей предложили место врача на небольшой станции Халасу по западной линии КВЖД, где-то на полпути между Харбином и Хайларом.

Екатерина Георгиевна со своими мальчиками приехала сюда зимой или ранней весной 1922 года, а в конце лета или начале осени в Халасу поселилась новая молодая русская пара — супруги Могутовы. Мужа звали Петр, а имя жены Гомбоев забыл.

Лишь через много лет мать рассказала повзрослевшему сыну, что настоящая фамилия Могутова — Капшевич, а его жена — еврейка, вырванная им из лап смерти. Екатерина Георгиевна впервые увидела ее в Халасу, но с подпоручиком Петром Капшевичем, недоучившимся студентом Харьковского университета, познакомилась в Урге. Бурей Гражданской войны его с Украины занесло в Забайкалье, откуда он с Унгерном пришел в Монголию. Этот молодой человек хорошо говорил по-английски, но где он им овладел и как Екатерина Георгиевна это узнала, неизвестно.

Вероятно, Капшевич в Урге обращался к ней за медицинской помощью, а в Халасу встретил ее на улице или на станции, узнал и попросил сохранить в секрете его подлинное имя. Она дала слово и молчала, пока в этом был смысл. Если раскрыты были и причины, по которым он сменил фамилию, Гомбоев, в то время двенадцатилетний мальчик, о них понятия не имел.

Историю бывших соседей он услышал от матери, а она — от самого Капшевича. В изложении Гомбоева он рассказал следующее: когда прятавшиеся у Тогтохо-вана евреи были захвачены, Унгерн приказал Капшевичу их расстрелять. Тот доложил барону, что приказ исполнен, но на следующий день, совершая верховую прогулку в окрестностях Урги, Унгерн заметил свежие трупы, сосчитал их и обнаружил, что тел не одиннадцать, как должно быть, а десять. Не хватало трупа запомнившейся ему при осмотре еще живых пленников красивой девушки. Вернувшись в город, барон вызвал Капшевича и потребовал объяснений. Тот воскликнул: "Не может быть, ваше превосходительство! Это какое-то недоразумение! Сейчас проверю и доложу". Он вскочил в седло и поскакал к месту расстрела. "С той поры подпоручика Капшевича в армии барона не стало", — завершает Гомбоев свой бесхитростный рассказ.

Я сразу отметил в нем ряд неувязок, но списал их на коррозию, которой подвергается любой устный рассказ, спустя годы переданный одним слушателем другому и записанный им еще через несколько десятилетий.

Отдав приказ об истреблении евреев, Унгерн их судьбой больше не занимался, ни с кем из них не говорил и запомнить эту девушку не мог. Одинокие верховые поездки он совершал регулярно, но вряд ли его прогулочный маршрут проходил через отвратительную городскую свалку на Сельбе, где лежали тела казненных. Пересчитывать их, тем более переворачивать на спину, чтобы по лицам определить, кого тут не хватает, он уж точно бы не стал. Есть немало свидетельств о его патологической брезгливости ко всему телесному.

Казни производились в подвалах комендантства. Смертников обычно не расстреливали, а рубили шашками. Трупы вывозили на подводах, но даже если в данном случае этот порядок почему-то был нарушен, сомнительно, чтобы одному Капшевичу поручили вывести за город и расстрелять группу из одиннадцати человек. В присутствии подчиненных или еще кого-то из офицеров ему удалось бы оставить девушку в живых только при условии, что все они согласились закрыть на это глаза, но даже просить их о таком одолжении было смертельно опасно. Никто не откликнулся бы на его просьбу, зато утром она стала бы известна Сипайло и погубила самого Капшевича.

Каким образом он вытащил избранницу из этой мясорубки, я не понимал, но в любом случае для ее спасения ему пришлось убить ее родных, и она не могла этого не знать. Правда, я был почти уверен, что они погибли не у нее на глазах. Очевидно, Капшевич придумал какой-то трюк, чтобы избавить ее от этого зрелища, иначе она чисто физически не смогла бы с ним жить, не говоря уж о том, чтобы выйти за него замуж. Одно дело — знать, да еще с его собственных слов, то есть в смягченном и приукрашенном варианте, другое — видеть самой. Вопрос заключался только в том, успел ли он сказать ей заранее, что собирается ее спасти, или она ни на что не надеялась и готовилась к смерти.

Если бы они скрылись из Урги немедленно после разговора Капшевича с Унгерном, их бы в два счета поймали. Очевидно, никто не хватился пропажи, и он спрятал девушку где-то в городе. Для побега надо было запастись подменными лошадьми, полушубками или теплыми дэли, вяленым мясом и лепешками, не то в степи обоим грозила смерть. Раздобыть все это в Урге и не вызвать подозрений было непросто. Бежали они позднее, но где проживали и что делали до того, как сошли с поезда в Халасу, покрыто мраком.

У Капшевича имелись при себе какие-то деньги, он нанял дом, приобрел охотничье снаряжение и начал надолго исчезать в тайге. Жена вела хозяйство. Она перезнакомилась с соседями, и, пишет Гомбоев, все ее полюбили. Алкоголем Капшевич не злоупотреблял, супруги жили мирно.

Места вокруг были дикие — лес, горы с затерянными в глуши бедными китайскими фанзами и эвенкийскими стойбищами. Мужская половина обитателей пристанционного поселка служила на железной дороге или промышляла охотой, а чаще совмещала одно с другим. Били фазанов и уток, ходили на кабанов, добывали колонка, ставили капканы на лис и волков. Самой выгодной считалась охота на изюбря; китайские скупщики щедро платили за молодые панты, спиленные у оленя в первые летние месяцы. Их использовали для приготовления лекарств. Изредка кому-нибудь удавалось выследить и подстрелить тигра, тогда славой этого любимца богов полнилась вся западная линия до Цицикара и Хайлара.

Без малого год спустя после того, как Могутовы-Капшевичи обосновались в Халасу, там пропал один старый охотник. Его начали искать. Капшевич вместе с другими мужчинами участвовал в поисках, а когда вернулся из леса домой, нашел жену мертвой. Она покончила с собой, отравившись стрихнином. Капшевич начинял им приманку в волчьих капканах.

Это страшная смерть. У человека искажается лицо, тело сводят судороги, оно выгибается дугой, деревенеет и застывает, опираясь лишь на затылок и пятки.

Должно быть, такой и увидел Капшевич жену — похожей на введенную в транс и лежащую на спинках двух стульев подопытную зрительницу на публичном сеансе гипноза, только бездыханную, с выкаченными глазами.

Судьба, которой она избежала в Урге, когда доктор Клингенберг отравлял евреек тем же ядом, подстерегла ее здесь.

Имя этой женщины осталось тайной. Наверное, у нее было два имени: русское — для мужа и соседей, и созвучное ему еврейское — для мертвых родителей, сестер, братьев.

"Тихая и ласковая", — написал о ней хорошо запомнивший ее Гомбоев.

Кроткая.

4 Она умерла в разгар лета, в “пантовку”, как называет Гомбоев сезон охоты на изюбря, а уже после похорон из тайги вернулся еще один местный охотник. Узнав об исчезновении старика, он сказал, что неделю назад встретил его в сопках с корзинкой, в которой лежали оленьи панты, а неподалеку от этого места видел Капшевича. Его заподозрили в убийстве из-за пантов, и хотя доказательств не было, а сам он все отрицал, охотники, не связываясь с полицией, предложили ему убраться из Халасу и никогда здесь не показываться, если не хочет пропасть в тайге, как тот старик.

Капшевич вырос на Украине, тайги не знал, стрелять привык только в людей. Охотник из него не вышел, а деньги кончились, жить стало не на что. Все их семейное имущество состояло из ружья и капканов. Продавать взятые у старика панты он побоялся; у него не нашлось денег даже на билет на поезд, чтобы уехать из Халасу, и некий дорожный мастер, которого в то время по службе перевели на станцию Ханьдаохецзы по восточной линии КВЖД, взял его в вагон, выделенный ему для перевозки домашнего скарба и скота.

Капшевич осел в Ханьдаохецзы, снова женился, а через год или два одного тамошнего охотника нашли в тайге мертвым. Подозрение вновь пало на Капшевича. При обыске у него обнаружили корзинку с пантами, вдова убитого ее опознала, и, по словам Гомбоева, убийца “понес заслуженное наказание”. Его должны были приговорить по меньшей мере к десяти годам каторги, а про китайскую каторжную тюрьму в Цицикаре, совершенно средневековую по устройству и заведенным в ней порядкам, русские говорили, что она страшнее смерти. Скорее всего, Капшевич из нее уже не вышел.

В палаческие команды люди не всегда попадают по воле случая. Есть и такие, кто по своей природе лучше приспособлен к подобным занятиям. Капшевич, значит, был из них, жена всё про него понимала, тем не менее надеялась, что это уже в прошлом. Когда в Халасу он принес ей панты, надежд больше не осталось. Об их происхождении она догадалась сразу, или он сам ей во всем признался. Тени родных встали перед ней, как вставали раньше, и она предпочла быть с ними, а не с ним.

Но каким бы ни был этот человек, для меня он так и остался отчаянным подпоручиком, рискнувшим жизнью ради тихой ласковой девушки, которую никогда прежде не видел. Не было ни манящих глаз, ни роскошного стана, ни огня, ни кокетства. Теперь я точно знал, что в Урге никакой бурной страсти она в нем не пробудила, он просто ее пожалел. Иногда жалость способна подвигнуть человека на большее, нежели страсть.

Их история была обыденнее и страшнее, чем я думал, но в ней осталось одно темное пятно: заметка в “Заре”. Сейчас она казалась мне еще более странной, чем год назад.

Внезапно я сообразил, что время ее публикации, август 1922 года, совпадает с временем, когда Екатерина Георгиевна в Халасу, на улице или на станционной платформе, встретила старого знакомого. Ее сын не написал, откуда Капшевичи прибыли и где жили до этого, но молодой человек с университетским образованием, пусть даже не закончивший курса, с нечастым среди русских беженцев знанием английского, что давало хорошие шансы устроиться в банк или в солидную торговую фирму, изначально едва ли собирался добывать средства к существованию охотой на кабанов и лис. Наверняка он со своей спутницей из Монголии двинулся в Харбин.

Через полтора года Капшевич явился в Халасу как Могутов, но имя оставил настоящее — Петр. А то жена при людях могла забыться и назвать его так, как привыкла. Логично было предположить, что в Харбине случилось что-то такое, из-за чего ему пришлось уносить оттуда ноги, сменить фамилию и стать охотником. Это был не романтический побег от цивилизации на лоно природы и не порыв конторского клерка к свободе, а вынужденная необходимость: при поступлении на службу проверили бы его документы, не вполне, видимо, безупречные, и навели справки о его прошлом, где никакого Могутова не существовало.

Подумав, я отмел убийство. Если бы он кого-то убил и жена это знала, а не знать она не могла, то, наверное, не покончила бы с собой, но никуда бы с ним не поехала. Харбин — большой город, можно найти работу, снять жилье. Здесь, в гуще жизни, даже рядом с мужем она по-девичьи могла мечтать о том, как когда-нибудь кто-нибудь за ней придет, оценит ее и даст ей иную судьбу, лучшую, заслуженную ею в страданиях. Это потом, еще через год, на глухой станции среди гор и лесов, без надежд и без денег, смерть показалась ей единственным выходом.

Был и еще один аргумент: будь за Капшевичем кровь или другое серьезное преступление, он держался бы подальше от линии КВЖД. Это была зона относительного порядка, железнодорожная полиция поймала бы его здесь и под чужим именем. Подлог, растрата, невозвращенный долг подходили больше, ведь Капшевич служил в какой-то фирме, но тут же я понял, что преступления вообще могло не быть, вернее, он мог совершить его не в Харбине и боялся не полиции. Мне известен был случай, когда одного из состоявших при Сипайло штатных палачей уже в Маньчжурии застрелил брат казненного в Урге колчаковского офицера. Может быть, Капшевич опасался той же участи?

При любом варианте напрашивалась мысль, что он сам же и написал эту заметку с целью внушить кому-то, что его нет в живых, но ксерокс газетной полосы лежал передо мной, и я вдруг увидел, как сквозь типографский шрифт проступает женский почерк.

Я представил, как вечером у себя на квартире супруги сидят за столом. Ужин окончен, чай выпит. Он говорит: “Прошлой весной ты хотела меня убить, вот и напиши, что ты тогда чувствовала”.

Возражать нет смысла. Он все про нее знает, как и она про него, но ей хочется уклониться от этого поручения.

“Почему я? — спрашивает она. — Почему не ты?”

“У тебя лучше получится”, — отвечает он.

Вздохнув, она окунает перо в чернильницу и склоняется над листом бумаги. Капшевич подсказывает ей, что ни их имена, ни адрес, ни дату и способ убийства упоминать не нужно, чтобы не привлекать внимание полиции. Тот, кто должен это прочесть, и так поймет, о ком речь.

Она пишет о себе в третьем лице. Как у многих женственных и милых домашних девушек, у нее крупный почерк, одного листа ей не хватает.

Перо бежит быстро, задумываться нет нужды. Она помнит все пережитое ею в первые месяцы после бегства из Урги и никогда ничего не забудет.

“Память, которую не с кем разделить и невозможно избыть, — описывает она то, что испытала полутора годами раньше и о чем я прочту почти столетие спустя, но не сразу пойму, чья рука вывела эти строки, прежде чем они попали в газету, — благодарность, которая превращается в ненависть, как вино в уксус, одиночество молодой женщины, вчерашней гимназистки, житейской слабостью прикованной к человеку хотя и любящему, но огрубевшему на войне, видящему в ней всего лишь выигрыш в опасной игре, награду за проявленную им храбрость, не способному ни к раскаянию за прошлое, ни к пониманию страдающей рядом души, — вот в каком состоянии она убила своего спасителя”.

“Молодец, — прочитав, одобряет Капшевич. — То, что надо”.

Он запечатывает ее творение в конверт, а наутро по почте, без подписи и обратного адреса, отсылает в редакцию “Зари”. Там охотно печатают такие статейки, а тот, кому это предназначено, мститель или обманутый коммерсант, как многие в городе, прекрасно знает историю мужа и жены Капшевичей.

Поверит ли он в его смерть?

Вероятность невелика, но и хлопот немного. Почему бы не попробовать?

В тот же день они со своими жалкими пожитками грузятся на извозчика, едут на вокзал, берут билеты до Халасу, садятся в поезд. Впереди новая жизнь. Капшевич бодрится, строит планы. Она смотрит в окно. Там лес, сопки.

Лишь сейчас до меня дошло, что не только он ее полюбил, но и она его. Спасение этой девушки стало главным оправданием его катящейся под откос жизни, только с ней он чувствовал себя человеком, а она с ним поменялась ролями: жалела его, как он когда-то ее пожалел, по-женски привязалась к нему и все ему простила; но то, о чем оба старались забыть, всегда при них, с ними, между ними. Перед ними — тоже.

А пока они едут в поезде. Небо за окном темнеет и на границе ночи становится черно-синим. Молочно-белая луна окружена мягким сиянием. Они не знают, что, если долго не отрывать от нее глаз, она превратится в жемчужину, жемчужина — в богиню милосердия. Тогда остается всего ничего — различить слезы счастья у нее на глазах и воззвать к ней о помощи.

Я выключил компьютер и подошел к окну. Опять было начало мая, ясно, холодно. Листва на деревьях, которые я видел в просвете между домами, еще не распустилась. За спиной обжившейся на этом окне Гуань Инь, за двумя ее припудренными ржавчиной, вписанными один в другой фестончатыми нимбами расстилались сотворенные из той же субстанции крыши. Над ними стоял потусторонний свет белой ночи.

2017

Солнце спускается за лесом

1

В 1965 году я был студент первого курса и в то утро сидел дома один. Младшие курсы занимались во вторую смену. Родители были на работе, сестра в школе. Около полудня в дверь позвонили. Я открыл, не спросив, кто там. Всю жизнь этот вопрос казался мне унизительным для моего мужского достоинства.

На площадке стоял худой старик в вытертой до фланельной гладкости ветхой шинели и еще в чем-то защитном, полувоенном, как совсем недавно в нашем поселке ходили многие мужчины. Мама говорила, что старость — это твой собственный возраст плюс двадцать лет, но стоявшему передо мной человеку было все-таки не под сорок, учитывая, что мне тогда не исполнилось и восемнадцати, а скорее под семьдесят. Шапку он заранее снял и держал в руке. На голове — густой седой ежик, словно он пару недель назад вышел из заключения или из инфекционного отделения больницы, где всех в обязательном порядке брили наголо. Второе было вероятнее. Бывших зэков я перевидал достаточно, этот человек мало на них походил, да они попрошайничеством и не занимались. А тут я сразу понял, что ему нужно. Холщовая котомка у него за спиной прямо говорила о цели визита.

— Помогите, сколько можете, — сказал он заученно, не пытаясь вложить в эту фразу хоть какое-то живое чувство.

Нищих тогда на улицах не было, за нищенство давали срок, но на самом деле их было много. Просто они собирали милостыню по квартирам. Часто приходили погорельцы, иногда целыми семьями, с детьми. Некоторые показывали справки из сельсовета, написанные от руки, но с солидными фиолетовыми печатями, которые никому не приходило в голову счесть фальшивыми. Подделывать эти символы власти было опасно. Риск не стоил тех благ, которые с их помощью добывались.

Погорельцам мама подавала всегда. Перед цыганами дверь закрывалась без разговоров, но с другими категориями побирушек она вступала в беседу и в зависимости от произведенного впечатления решала, давать что-то или не давать, а если дать, то сколько. Другой способ отличить подлинных страдальцев от мошенников состоял в том, чтобы вынести им хлеб: те, кто его с благодарностью принимал, могли получить денежную мелочь, а то и рубль. Тот, кто не выражал особой радости при виде вынесенных черствых горбушек, уходил без денег. Мама гордилась тем, как она прекрасно разбирается в людях, и я в этом не сомневался, но сейчас она сидела на приеме в заводской поликлинике. Без нее действовать по ее методу я остерегался. К тому же такой способ отделения агнцев от козлищ вызывал у меня смутные подозрения в его легитимности.

Человек на площадке произнес классическую формулу тех лет — не подайте, сколько можете, и не помогите, чем можете, а именно так: помогите, сколько можете.

Я мог помочь ему имевшимися у меня тремя рублями одной бумажкой, но это была слишком большая сумма. Бутылка сухого вина стоила вдвое меньше. Разменять купюру я не мог, все соседи были на работе.

Обычно нищие с ходу, с избыточным многословием, начинали повествовать о своих несчастьях, но этот человек молчал. Самому спросить о его беде я не решался из опасения услышать что-то такое, после чего уже невозможно будет не отдать ему мои три рубля, но и закрыть перед ним дверь не позволяла совесть.

— Давайте, — предложил я, — я вас покормлю. Будете?

Он охотно согласился, прошел в прихожую, положил в угол котомку, снял шинель и повесил ее на вешалку таким образом, чтобы она не касалась моего пальто. Это ему удалось без труда. Остальные крюки остались без ноши, родителей и сестры не было дома. Стоял октябрь, зимние пальто висели в кладовке, посыпанные нафталином, с сухими веточками полыни в карманах и под меховыми воротниками. Полынь, увязанную в пучки, как укроп или петрушку, продавали на колхозном рынке. Мама верила, что моль боится ее, как черт ладана. С апреля по ноябрь в коридоре стоял дух этой волшебной емшан-травы, заставивший, как я знал из баллады Майкова, половецкого хана Отрока бросить царский престол на чужбине и вернуться в родную степь.

Эту балладу любил мой старший друг и учитель, поэт Коля Гилёв. Он руководил литобъединением при областной комсомольской газете "Молодая гвардия", которое я посещал. Дважды в месяц мы собирались вечером в редакции, читали стихи и восхищались друг другом, а Коля — нами. Многие из нас считали себя его фаворитами, но я точно знал, что меня он любит больше всех. Так сказала мне его жена. У них с Колей были сложные отношения, и если он счел нужным ей об этом сказать, значит, я мог быть спокоен. Коля делился с женой только самым важным, а я для нее был никто, она не стала бы врать, чтобы сделать мне приятное

Я повел гостя в ванную. Он тщательно вымыл руки, но вместо того, чтобы воспользоваться висевшим возле раковины полотенцем, деликатно вытер их о штаны. Пока он мылся, я украдкой понюхал его затылок. От него, как от всех худых мужчин, если они ночуют не на помойке и ходят в баню хотя бы раз в месяц, ничем не пахло. Лишь воротник его засаленного офицерского кителя сохранил слабый запах казенной дезинфекции.

Перешли в кухню.

На газовой плите стояла большая кастрюля с борщом, я как раз готовился его разогреть и поесть перед уходом в университет. Мама велела мне отлить борщ в маленькую кастрюлю, в большой не греть, чтобы он не испортился, но я этим пренебрег. Чистить и варить себе на второе картошку к имевшемуся в борще мясу я тем более не собирался.

Гость сел на табуретку и внимательно смотрел, как я зажигаю газ, режу хлеб, достаю из холодильника и ставлю на стол сметану в пол-литровой банке. Он не старался ни сделать вид, будто все, чем я занимаюсь, не имеет к нему отношения, ни както выказать мне свою признательность. Я не знал, о чем говорить, а он, видимо, соблюдал этикет, в его положении предписывающий ему только отвечать на вопросы хозяина, но не начинать разговор первым. В нем ощущалось достоинство человека, не раз бывавшего на моем месте, поэтому точно знающего, как он должен вести себя на своем. Я понимал, что это знание дается тем опытом жизни, которого у меня не было и, наверное, не будет.

Я разлил борщ по тарелкам, положил в каждую по куску говядины на кости, но мой гость без слов, печальной гримасой дал мне понять, что эта роскошь ему не по зубам.

Жевал он с усилием, хотя ничего тверже вареной капусты и свеклы ему не попадалось. Когда он открывал рот, чтобы вложить туда ложку, в глубине рта я видел бледные голые десны. Впереди, однако, поблескивали три-четыре стальные фиксы.

— Расскажите о себе, — попросил я.

Он с готовностью положил хлеб на клеенку, ложку — на край тарелки.

— Что вам рассказать?

— Расскажите, кто вы, откуда. Только ешьте, пожалуйста, а то остынет.

— О латышских стрелках слыхали? — не прикасаясь ни к хлебу, ни к ложке, спросил он с интонацией, не предполагающей иного ответа, кроме утвердительного.

Это означало, что пока я наблюдал за ним, он в свою очередь изучал меня и пришел к выводу, что со мной можно говорить о таких вещах.

Я ответил недоуменным междометием: мол, что за вопрос? Как я мог не слыхать о латышских стрелках? Вернее, лично мне никто о них никогда не рассказывал, но я, само собой, читал, знал, благоговел. Железная гвардия революции, неустрашимая, овеянная славой, не знавшая поражений в открытом бою, но истребленная предательским ударом в спину. Неудивительно, что Сталин боялся этих титанов и после того, как они перековали мечи на орала. Дикие звери боятся даже тлеющего под золой огня.

— Я был латышский стрелок, — сказал мой гость и, убедившись, что стрела попала в цель, снова принялся за еду.

Теперь он держался не так скованно, как раньше, шире загребал ложкой и не стеснялся выковыривать из корки хлебный мякиш. Его прошлое отчасти уравняло нас в настоящем.

Он ел, а я сидел, потрясенный. Латышский стрелок, боже мой! Трагедия этого человека была трагедией всей страны, моей семьи — тоже. Про Сталина я все понял в детстве, когда вернулся из лагеря дядька, мамин младший брат, лейтенант, в 1945 году за длинный язык прямо из Вены отправленный в Воркуту. После XX съезда у нас дома шли соответствующие разговоры, и в восемь лет, сознавая себя носителем эксклюзивной информации, я во дворе сообщил ребятам, что Сталин был немецкий шпион. За это один старший мальчик, сын безногого сапожника дяди Гори, окунул меня головой в дворовый фонтан. С тех пор я подкорректировал свою позицию по вопросу о Сталине, но не изменил выстраданного убеждения в том, что народ не хочет знать правду.

Буквально в нескольких словах бывший стрелок рассказал мне, что воевал с Колчаком, в тридцать шестом был арестован, сидел в лагере. Потом его поместили в психиатрическую больницу и совсем недавно выписали.

О карательной психиатрии я слышал и заинтересовался еще острее:

— За что вас в психушку?

— Болел немного, — разочаровал он меня.

— Сейчас не болеете?

— Нет. Вылечился.

— На Революции лежали?

Прозвучало двусмысленно, хотя я имел в виду всего лишь областную психиатрическую больницу на улице Революции, в самом центре Перми. Это было отдельное поселение за непроницаемым щитовым забором: десяток одноэтажных, еще дореволюционной постройки, деревянных зданий и флигелей, широко разбросанных на озелененной территории между клумбами, газонами, кустами сирени и остатками какого-то сада. Я был там один раз, навещал лечившегося от белой горячки Колю Гилёва. Его упекли туда теща с тестем. Коля вышел ко мне в опрятной больничной пижаме, пополневший, хотя несколько одутловатый, и, в общем, довольный жизнью. Мы с ним сидели на лавочке, он читал мне стихи, сочиненные в этом узилище скорби. Сияло солнце, с клумбы возбуждающе веяло запахом резеды и табака, но по дороге нам повстречалась компания прогуливающихся пожилых женщин с ужасными лицами обитателей острова доктора

Моро. Глаза у них были обращены зрачками в душу, где они видели что-то такое, о чем, как я догадывался, мне лучше не знать. По ним можно было представить, каковы те, кого без конвоя на прогулку не выпускают.

— На Революции, — подтвердил стрелок.

Я попытался найти у него на лице следы опалившего ему душу адского огня, но лицо было обычное, глаза — спокойные. Я, конечно, подозревал, что он не вполне психически здоров, но его болезнь не могла иметь ничего общего с болезнью тех женщин за забором. Тут следовало говорить не о проблемах с психикой и тем более не о сумасшествии, а о душевном надломе, как у того же Коли, который в мороз, напившись, босиком выходил на заметенный снегом балкон и замирал, раскинув руки в стороны. Этой позой он демонстрировал мне, как в родном селе под Кунгуром так же балансировал на куполе полуразрушенной церкви, чтобы, с риском сверзиться оттуда и убиться насмерть, заменить собой отсутствующий крест.

Его пьянство было совершенно иной природы, чем, например, у Владимира Туркевича, руководившего нашим литобъединением до Коли. Туркевич считал себя главным поэтом Урала на том основании, что две песни на его стихи исполнял Уральский народный хор. Обе были о величавой красавице Каме, реке-труженице. Вся в дымах от буксиров, несущая на себе вереницы плотов, вращающая турбины Камской ГЭС, она безотказно питала его творчество. Обласканный начальством, Туркевич страстно мечтал получить какой-нибудь орден, как получали московские писатели. Спьяну, в угаре честолюбия, он навинтил себе на пиджак оставшийся от умершей матери орден Ленина, пошел в оперный театр, на торжественное заседание в честь годовщины Октября, сидел с этим орденом в президиуме, позировал фотографам и принимал поздравления с заслуженной наградой. На другой день портрет поэта-орденоносца появился в газете. Разразился скандал, Туркевича таскали по партийным инстанциям и грозились рассыпать набор его новой книжки, пока он не предъявил справку, что состоит на учете у психиатра.

Справка была липовая, о чем он сам всем рассказывал, другой у него быть не могло. С ума сходили лучшие, такие, как этот латыш, или настоящие поэты, как Коля, преследуемый взывающими к его совести ночными голосами, а не такие, как Туркевич. Я тоже писал стихи, и меня пугала собственная нормальность. Я видел в ней знак духовной ущербности, клеймо, свидетельствующее об отсутствии у меня таланта.

— Тяжело было в больнице? — спросил я так, чтобы выразить и сочувствие моему гостю, и уверенность в его стойкости.

— Нет. Ничего, — сказал он.

— В лагере хуже?

— Хуже.

— Сколько вы просидели?

— Восемнадцать лет.

— А в психушке?

— Девять.

Я выразительно помолчал, показывая, что понимаю весь ужас этих цифр, но надолго меня не хватило. Очередной вопрос вертелся на языке:

— И куда вы теперь?

— В Латвию.

— У вас там родственники?

— Брат.

— В Риге?

— Нет.

— А где?

— Около Риги.

Все это я с трудом из него вытянул. Отвечал он быстро и едва ли не услужливо, говорил без акцента, который у прибалтов сохраняется на всю жизнь, но по возможности обходился одним словом, в крайнем случае — двумя. Чувствовалось, что ему привычнее изъясняться без слов. Всякий раз, когда я обращался к нему с вопросом, на лице у него появлялось тоскливое выражение.

— Собираете деньги на билет? — продолжил я допрос.

Он кивнул.

— А брат не прислал?

— Прислал.

Я удивился:

— Не хватает, что ли?

— Подарок купил, — признался он с кривой улыбкой.

— Брату?

— У брата внучка. Ей.

Он полез во внутренний карман кителя, достал маленькую коробочку, в каких продают ювелирные изделия, щелкнул шпенечком, открыл. На синем бархате лежали сережки. Я не знал, серебряные они или из какого-то дешевого белого металла, настоящие в них камни или стекляшки, но ошеломлял сам вид извлеченных из его лохмотьев девичьих украшений. Они блеснули передо мной как потаенное сокровище его души.

Это доказывало возникшую между нами близость. Он не думал, что я могу подумать, будто он где-то украл эти сережки, или приму его за жулика, выпрашивающего милостыню, когда карманы у него набиты серебром и драгоценностями, но сквозь чистую радость единения с доверившимся мне человеком я ощутил тревожный укол в сердце, как при мысли о моей постыдной для поэта нормальности. Сам я в его положении не осмелился бы так поступить. Если мне давали деньги на продукты, я покупал продукты, дали бы на билет — купил бы билет. Туркевич с его липовой справкой, и тот был безумнее меня, иначе не поперся бы в президиум с маминым орденом.

Стрелок доел борщ, подтер тарелку огрызком хлебного мякиша и отправил его в рот. Я верил ему, хотя уже одно то, что представитель давно вымершего, как я полагал, племени сидит у меня на кухне, казалось сном, фантастикой. Гражданская война закончилась всего сорок лет назад, но в мои неполные восемнадцать я воспринимал ее как относящуюся ко временам почти мифическим. Человек оттуда был существом едва ли не призрачным, сродни тем фантомам, что ночами изводили Колю своими упреками и жалобами, а с рассветом исчезали бесследно. Хотелось получить от него нечто материальное, способное удостоверить его реальность, когда я позже начну в ней сомневаться. Так невеста вставшего из могилы мертвеца, который проводит с ней ночь и покидает ее с первым криком петуха, тайком выдергивает нитку из его савана, чтобы не думать потом, что это был сон. Летом я написал стихотворение с таким сюжетом и выдавал его за перевод английской баллады. Коля меня за него хвалил. Оно кончалось тем, что невеста повязывает эту нитку себе на запястье, а через какое-то время, забыв мертвого жениха и собираясь замуж за другого, хочет ее снять, но не тут-то было.

— Напишите что-нибудь по-латышски, — попросил я. — Можете?

— Могу, — кивнул стрелок.

— На память, — добавил я, испугавшись, что он истолкует это как проверку на вшивость.

Я принес чистый лист бумаги, авторучку, и он без нажима, как и положено призраку, длинными, тонкими, воздушными буквами вывел в верхней части листа:

Salve olis mesa nagima.

Я спросил, что это значит.

Он указал пером на первое слово, затем — на третье:

— Солнце... Лес... Солнце идет вниз... опускается... спускается за лесом.

— Садится, — поправил я.

— Спускается, — не согласился он.

— Пусть так, — не стал я спорить. — А почему вы написали именно это?

— Вспомнил.

— Что вспомнили?

— Песню.

— Это из песни?

— Да.

— И о чем она?

На лице у него снова мелькнуло выражение тоскливой муки, но тут же пропало. Излагая мне содержание этой народной песни, он использовал, наверное, ненамного меньше слов, чем за все время нашего разговора, хотя смысл был прост: девушка, выданная замуж на чужбину, смотрит, как солнце спускается за лесом, и думает, что вот перед ней то же солнце и такой же лес, как на родном хуторе, а слезы почему-то льются у нее из глаз.

“О чем я плачу?” — спрашивает она.

Никто ей не отвечает, да она и не ждет ответа.

Стрелок умолк, отрешенно глядя в окно, но я видел, что на самом деле глаза у него повернуты зрачками ему в душу. Он сам был этой девушкой. Я понимал его через Колю. Вся моя жизнь прошла в рабочем поселке Мотовилиха на окраине Перми. Меня сюда привезли в бессознательном возрасте, но Коля страшно тосковал по родному селу в сорока километрах от Кунгура. Правда, его стихи на эту тему нравились мне меньше других. Притом что Коля был поэт почти гениальный, а Туркевич — вообще не поэт, одно его стихотворение я знал наизусть, причем запомнил со слуха. Оно нигде не печаталось, Туркевич читал в компаниях, где меня привечали благодаря Коле. Стихи были о том, как соседка Туркевича, высланная из Крыма на Урал понтийская гречанка, распив с ним за гаражами бутылку дрянного портвейна, поет ему старинную песню от лица увезенной в чужие края греческой девушки.

“За высокой горой, — поет она, — есть две могилы, в них вечным сном спят родные братья, в поединке сразившие друг друга. Между крестами вьется виноградная лоза. Ее плоды ласкают глаз, но сок их горек. Если женщина выпьет его, навсегда останется бесплодной. О, моя мать! — восклицает девушка. — Отчего никто не дал тебе испить этого сока! Тогда я не родилась бы на свет".

Латышка до такого отчаяния не доходила, но и солнце над ней было холоднее, чем над гречанкой, и от родного хутора ее отделяли не горы, а лес, вряд ли такой уж дремучий, однако я понимал, кто говорит ее устами и чего это ему стоит.

Надпись лежала передо мной вверх ногами. Я перевернул лист и, угадывая ударения, прочел ее как стихотворную строку:

— *Сальве олис меса нагима.*

— Ох, забыл! — спохватился стрелок и поставил над "s" птичку, пояснив, что это "ш".

— А спеть можете? — пошел я еще дальше.

Он задумался, а мне сделалось совестно. Получалось, что я предлагаю ему исполнить номер в уплату за борщ.

Я не успел сказать, что если не хочет, то и не надо. Подбородок у него дернулся вверх и вбок. Сухожилия натянулись под старческой кожей на шее. Коля тоже резко дергал головой, когда декламировал самое мое любимое у него стихотворение — о покойной бабушке Вере, на небесах зовущей к себе ангелов теми же словами, какими вечером звала домой с пруда роющихся в прибрежной тине гусей, тоже белых и крылатых: "Айдате тиги-тиги-тиги..." Выпевая это заклинание, Коля менялся в лице, а меня отрывало от земли волной восторга и любви к нему.

— *Саа-лве олис ме-еша наги-и-ма*, — нараспев произнес стрелок, яростно растягивая одни слоги и лишь обозначая другие, но все на одной ноте, не повышая и не понижая голоса, словно если бы он сделал еще и это, позволяя звучащей в нем мелодии выйти наружу, слезы хлынули бы у него из глаз.

Эта песня звала его в Латвию, как витавший в нашей прихожей, грозный для моли запах сухой полыни позвал хана Отрока в родную степь.

Я отдал ему свои три рубля, на которые в общем вагоне можно было доехать если не до Риги, то до Москвы, он надел шинель, взял котомку и навсегда, как мне казалось, ушел из моей жизни. Только тогда я сообразил, что не спросил его имени. Окна у нас выходили на улицу, а вход был со двора. Куда он направился, выйдя из подъезда, я проследить не мог.

2

Я никогда не вел дневник, но в молодости время от времени что-то записывал на отдельных листах и складывал в особую папку вперемежку с собственными стихами.

В 2002 году, когда после моей встречи с латышским стрелком прошло почти столько же времени, как с конца Гражданской войны — до его визита ко мне, из этой папки я извлек чудом сохранившийся бумажный лист с четырьмя оставшимися на нем словами. Их час пробил.

Я тогда писал роман “Казароза”. Время действия — 1920 год, место — Пермь, прямо не названная, но легко угадываемая в большом губернском городе на Каме. Других городов такого масштаба на ней не было. Упоминался, в частности, действительно существовавший в то время в Перми клуб латышских стрелков “Циня”, то есть “Борьба”. Демобилизовавшись, они работали на заводах, служили в милиции или в железнодорожной охране, но субботними вечерами собирались отвести душу среди своих. Скучные парни, в которых трудно было признать вчерашних героев, играли в лото и шашки, пили жидкий чаек, пели: “Сальве олис меша нагима...” Главного героя романа привел туда знакомый латыш, похожий на моего давнишнего визитера, только молодого, и, волнуясь, как будто речь шла о чем-то уникальном, что в Латвии только и можно увидеть, перевел ему этот плач: “Солнце спускается за лесом...”

О таких, как тот старик, я теперь знал многое и лишился былых иллюзий. Знал, что латышей использовали не только как храбрых дисциплинированных солдат, но и в качестве карателей, при подавлении мятежей и крестьянских восстаний. Как все национальные формирования в иноплеменной среде, они отличались преданностью хозяевам, сплоченностью и, чего греха таить, жестокостью.

Они не сдавались в плен, потому что белые расстреливали их без пощады — якобы как иностранцев, вмешавшихся в чужую гражданскую войну, хотя сами воевали бок о бок с чехами, сербами, японцами и еще двунадесятью языками, как, впрочем, и красные.

В 1990-х Музей латышских стрелков в Латвии превратился в Музей оккупации. В России их объявили палачами русского народа и повесили на них всех собак, но я знал, что кроме красных латышей были белые, и если первые охраняли Ленина в Кремле, то вторые — Колчака в Омске. Они были везде, от Нарвы до Владивостока, от каракумских песков до зоны вечной мерзлоты. Генерала Пепеляева в Якутии победили латыши Строд и Байкалов-Некундэ, но и правой рукой Пепеляева стал полковник Рейнгардт, по матери-латышке считавший себя латышом. История появления латышских частей в Красной армии не была для меня тайной, и все же я не вполне понимал, каким образом из недр маленького, мирного, никогда ни с кем не воевавшего народа вышло столько умелых и бесстрашных бойцов.

Итак, книга вышла, а через несколько месяцев я получил письмо от одной университетской преподавательницы из Риги. Она писала, что фраза “солнце спускается за лесом” по-латышски пишется не так, как у меня в романе, а так: *Saule riet aiz meža.*

В русской транскрипции — "Сауле риет аиз мэжа". Из приведенных мною слов в латышском есть только *olis* в значении "речной голыш", "галька". Остальные отсутствуют как в литературном языке, так и в местных диалектах, но даже если правильно перевести эту фразу с русского, все равно тут что-то не то, потому что народной песни про закатное солнце над лесом не существует.

Я расстроился, но обманщик, подложивший мне такую свинью, вызывал скорее восхищение, чем возмущение. Злиться на него было поздно, да и как-то некрасиво. Бродячий рапсод пропел мне свою канцону, а три рубля и тарелка борща были не такой уж большой платой за нее.

В новом издании "Казарозы" я заменил "Сальве олис меша нагима" на "Сауле риет аиз мэжа" и забыл эту историю, но еще лет через десять, когда молодость начала оживать и приближаться ко мне стремительнее, чем прежде от меня уходила, среди являвшихся оттуда теней пришел и старик с сережками за пазухой. Захотелось узнать, кто он был такой, на каком языке написана оставшаяся от него загадочная фраза,

Гугл-переводчик сообщил мне, что на урду, официальном языке Исламской Республики Пакистан, она означает "happy birthday to you". В сталинских лагерях, как и в советских психиатрических лечебницах, отыскались бы какие-нибудь пакистанцы или индийцы; можно было допустить, что товарищ по несчастью запомнил, какими словами они поздравляли его с днем рождения, а потом выдал их за латышскую песню, но это был вариант чересчур экзотический.

Из четырех слов легко поддавалось переводу единственное — первое. *Salve* на латыни — “здравствуй”, “славься”. В современных романских языках оно употреблялось как приветствие, а в румынском еще и как глагол “спасать”. Остальные слова встречались в кое-каких менее экстравагантных, чем урду, наречиях, включая эсперанто, но поодиночке, а не так, чтобы все три — в одном. Скажем, в слове “меша” был распознан тюркский “баран”. Ни “солнце”, ни “лес” не возникли ни разу. В порядке эксперимента я попробовал поставить рядом эти разноязычные слова, но друг с другом они не согласовывались и ни во что осмысленное не складывались. Приблизительно так же Кай в чертоге Снежной королевы пытался сложить из ледышек слово “вечность”.

В какой-то момент ожидаемо всплыл финский, но мой знакомый из Хельсинки уверенно отмел эту идею.

Литовский?

Нет, ничего похожего.

Эстонский?

Опять мимо.

В эстонском, как выяснилось, нет звука “ш”. Имелось, правда, слово *salve*, означавшее “шалфей”, но он тут явно был ни к селу ни к городу.

Наконец, нашелся человек, сказавший мне, что "меша нагима" похоже на тюркское женское имя. С узбекского, в частности, допуская, что оно стоит в именительном падеже, а первое слово — в глагольном инфинитиве, фразу можно перевести следующим образом: "Радовать далекая Меша Нагима".

Я сразу вспомнил про сережки. Мелькнула мысль, что мой гость собирался осчастливить ими свою возлюбленную, давно умершую или вообще не рождавшуюся на свет и обитавшую лишь в его сумеречном сознании, но я тут же отбросил эту идею.

Старику хватило ума назваться латышским стрелком, значит, он мог сложить одну фразу из засевших у него в памяти исковерканных слов на тех языках, которые слышал в лагере. Лагерь — это Вавилон. Еще проще выдать свою тарабарщину за строчку из песни и сочинить ее содержание. Вспомнилось, как он наблюдал за мной, пока я грел борщ и резал хлеб. Решал, видимо, можно ли поймать меня на этот крючок. Похоже, он пришел ко мне с готовой программой, и я стал не первой его жертвой.

3

Однажды зимним вечером я обнаружил себя сидящим на полу своей московской квартиры. Я был дома один. Рядом со мной горела настольная лампа, временно ставшая напольной, стояли бутылка красного чилийского вина и бокал.

На коленях лежала папка с моими старыми записями и стихами. Стихи много раз проходили отбраковку, так что их осталось всего штук двадцать. Записи тоже сильно поредели. Убыль восполняли письма от друзей молодости, среди них — от Коли Гилёва.

Он писал мне примерно раз в год. С первой женой, сказавшей мне, что Коля любит меня больше всех своих учеников, он развелся, когда я еще жил в Перми, а его теперешняя семейная жизнь была покрыта мраком. Я знал только, что он вернулся в родное село, куда его неотступно звали ночные голоса. Из-за них теща и упекла его в психушку. Пить он бросил, но и стихи писать перестал. Заброшенную церковь, на которую он когда-то забирался, чтобы заменить собой снесенный крест, восстановили, но Коля почему-то в нее не ходил. Почему, я не спрашивал, а сам он не объяснял. Работал в районной газете, на пенсии по примеру бабушки Веры завел гусей, но с гусями что-то не заладилось. Прошлой весной на деревенской улице, где машины проезжали два раза в сутки, совершенно трезвого Колю сбил пьяный водитель.

Я помнил единственное его стихотворение. В нем Коля просил себе у Бога такой смерти, "чтоб от тела пропал и след" и никому не пришлось бы ради него на кладбище подковыривать ломиком чужие могилы, но не сбылось.

Ну и, конечно, та колдовская строчка всегда была со мной: "Айдате тиги-тиги-тиги..." Забыть, как Коля ее произносил и что со мной творилось в такие моменты, я мог только с полной утратой памяти. Может быть, ангелы теперь откликались на этот его призыв охотнее, чем гуси.

Туркевич был еще жив. Незадолго до конца СССР он успел получить орден, пусть не Ленина, а всего лишь "Знак Почета", но и это давало ему надбавку к пенсии. В старости он начал писать стихи на родном белорусском языке. Всю жизнь воспевая труженицу Каму, Туркевич, оказывается, очами души видел вольный ленивый Неман. Я вспоминал о нем, когда во мне начинала звучать песня, жизнь тому назад услышанная им от старой понтийской гречанки: "За высокой горой есть две могилы. В них вечным сном спят братья, в поединке сразившие друг друга..." Я издал несколько книг о Гражданской войне и хотел думать, что не случайно эта песня в юности пронзила мне сердце.

Я выпил еще полбокала и опять взял в руки лист низкосортной, с вкраплениями целлюлозной массы, серой бумаги. На нем тонкими призрачными буквами были написаны четыре слова на неизвестном языке.

Вино действовало, сейчас я видел в них то, что раньше от меня ускользало. Университетская дама из Риги не пожелала заметить очевидное: ключевые слова, "солнце" и "лес", очень напоминали латышские. "Сальве" — "сауле", "меша" — "мэжа", да и "олис", в сущности, походило на "аиз". Чужеродным здесь было только слово “нагима”, зато в нем угадывалось отнюдь, видимо, не бесцельно занесенное сюда из русского прилагательное “нагие” в творительном падеже, с нечаянно измененной последней буквой. Нагими, голыми, с облетевшей или еще не распустившейся листвой, черными на фоне красного диска были ветви деревьев. Сквозь них девушка ранней весной или поздней осенью смотрела на заходящее солнце, не то она бы его не увидела. В песне ясно указывалось, что оно спускается за лесом, а не над лесом.

Мой гость сказал правду. Стыдно стало, что я увидел в нем обманщика. Он, несомненно, был латыш, латышский стрелок, но ему повезло меньше, чем Туркевичу. За полстолетия, прожитых вдали от родины, материнский язык погрузился на дно его души. Грамматику разорвало бурей, словарь упал в Каму, а революция, Гражданская война, трудовые фронты, лагеря и, главное, болезнь, девять лет в психиатрической лечебнице, занесли его песком, обволокли илом. Пока над ним текла река жизни, поблекли буквы на расползающихся страницах. Язык едва брезжил из подводной тьмы, бедный, до такой степени обглоданный страданием и безумием, что моя рижская корреспондентка не сумела его узнать.

В своем ученом высокомерии она объявила несуществующей прекрасную песню о девушке, лесе и солнце, хотя придумать такую песню нельзя, можно лишь вспомнить. Наверняка она была, переходила по женской линии из рода в род, а вдали от родины, как у меня в романе, пелась и мужчинами. Тысячи девушек, выданных замуж на чужбину, своей тоской стерли в ней все лишнее, обточили до совершенных форм *olis*, речной гальки. Поэтому она и проскользнула сквозь сети, раскинутые ловцами латышских дайн и ревнителями национального духа.

Полвека назад ко мне явился мертвец, выходец из иного мира. Написанная им строчка осталась со мной, как нитка, выдернутая из его савана. Она обвилась вокруг моего запястья и привязала меня к тому времени, из которого он вышел. Теперь я хочу ее снять, но не тут-то было.

Вот я сижу на полу в пустой полутемной комнате, и слезы стоят у меня в горле.

О чем я плачу?

Никто не отвечает, да я и не жду ответа.

2018

РАССКАЗЫ РАЗНЫХ ЛЕТ

Гроза

1 По классу они не бегали, не кричали, не дрались. До этого, слава богу, не доходило. Они всего лишь разговаривали, ерзали на стульях, что-то роняли, чем-то перебрасывались, рвали какие-то бумажки, катали по столам ручки и карандаши. Шум, который производили эти сорок пятиклассников, невозможно было разъять на составные части, этот слитный гул поражал ухо сочетанием дикой гармонии, свойственной гулу дождя или водопада, с раздражающе назойливым, почти механическим тембром звука.

— Тише, ребята! — надрывалась Надежда Степановна. — Сегодня у нас в гостях Дмитрий Петрович Родыгин. Он проведет беседу о правилах безопасности на улицах и дорогах.

Она постучала карандашом по столу, но не перед собой, а перед Родыгиным, чтобы привлечь внимание к нему.

— Тише! Мне стыдно за вас!

Родыгин подумал, что ей должно быть стыдно за себя. Не такая уж молоденькая, пора бы научиться владеть дисциплиной.

— Вы идите. Я сам, — сказал он ей по возможности мягко.

Надежда Степановна нерешительно двинулась к дверям. Шум не стихал.

— Неужели вам не хочется узнать что-то новое для себя? — заговорила она тем голосом, который сама в себе ненавидела. — Я в это не верю. Вот Векшиной, например, хочется, я точно знаю.

Отличница Векшина, стриженая носатая девочка за первым столом, испуганно втянула голову в плечи. С некоторой натяжкой это можно было истолковать в том смысле, что она кивнула в знак согласия.

— Тогда почему ты молчишь? Нужно иметь смелость отстаивать свои убеждения, даже если большинство их не разделяет. Поднимись и скажи: мне интересно, не мешайте мне слушать.

Векшина встала, судорожно тиская ключ от квартиры, висевший у нее на шее, на шнурке, как нательный крестик, и молча отвернулась к окну. Родыгин посмотрел в ту же сторону. За окном был сентябрь, сырой и теплый, зеленые листья шелестели по стеклу. Чтобы лист желтел и падал, как положено на Урале в конце сентября, требуется погода сухая, ядреная, с утренним ледком на лужах и звоном под ногами. Еще при Брежневе в природе стало что-то разлаживаться, как и на производстве. Теперь и подавно.

Когда Надежда Степановна ушла, он еще с полминуты улыбался, усыпляя бдительность, потом вдруг рявкнул:

— А ну встать!

Удивились, но встали.

— Плохо встаете, недружно. Садитесь.

Сели, гремя стульями и пихаясь.

— Плохо садитесь. Встать!

На этот раз встали получше, но сзади кто-то захихикал, а откуда-то сбоку с характерным преступным звуком вылетел и ткнулся в доску комок жеваной бумаги.

Искать виноватых Родыгин не стал.

— На месте, — скомандовал он, — шагом... марш!

Передние вяло затоптались в проходах между рядами. Они давились от сдерживаемого смеха, надували щеки, выпучивали глаза, но все-таки маршировали. Задние, пользуясь выгодами своего положения, едва переминались с ноги на ногу. Некоторое время так и продолжалось, но Родыгин неумолимо, как метроном, отбивал такт, постукивая указательным пальцем по ребру столешницы. В конце концов дело пошло.

— Молодцы! — похвалил он. — Можете сесть.

Сели тихо, как эльфы, чтобы снова не пришлось вставать. Он похвалил еще раз:

— Молодцы. Хорошо садитесь.

Все беседы Родыгин начинал с тихой лирической ноты, призванной создать атмосферу взаимного доверия, после переходил к деловой части, а в заключение пересказывал несколько занимательных, но тематически выдержанных историй с последних страниц журнала “За рулем”. Для начала он рассказал, как в детстве вместе с другими ребятами целых три километра бежал за первым автомобилем, проехавшим через их село. Автомобили тогда были в диковинку, встречались редко, как сейчас лошади. На машине теперь все катались, а многие ли ездили на лошади? Пусть поднимут руки.

Подняли все, кроме Векшиной. Одни ездили на ипподроме, другие в деревне у бабушки или на празднике Русской зимы, как называлась недавно реабилитированная Масленица. Векшина сказала, что каталась в зоопарке на пони, но это, наверное, не считается.

— Считается, — квалифицировал ее случай Родыгин и перешел к деловой части.

Достав блокнот и надев очки, он зачитал цифры детского дорожного травматизма. По стране в целом это были закрытые цифры, а по району, городу и даже области — открытые. Взрослых они впечатляли сами по себе, но наглядно-образное мышление пятиклассников требовало конкретики, поэтому Родыгин рассказал о происшествии, свидетелем которого был якобы лично. Такой милый кудрявый мальчик перебегал улицу в неположенном месте, попал под грузовик, и ему пришлось отрезать ногу.

— До какого места? — деловито спросили у дальнего окна.

Родыгин чиркнул себя карандашом по бедру, показывая, что нога как таковая просто перестала существовать.

— Не показывайте на себе, — предостерегла его Векшина.

— Это огромная трагедия для родителей потерпевшего и для него самого, — подытожил он. — Одиннадцатилетний калека, ваш ровесник. А почему так случилось?

— Сам виноват, — ответил от того же окна тот же бестрепетный голос.

— Так случилось потому, — поморщившись, сказал Родыгин, — что этот мальчик ничего не знал о тормозном пути.

Он подробно объяснил, что такое тормозной путь, каким он бывает при допустимой скорости шестьдесят километров в час у различных транспортных средств и в зависимости от погоды — на сухом асфальте, на мокром, в гололед. Рекомендовал записать эти данные и, прохаживаясь между рядами, начал медленно диктовать.

Некоторые старательно записывали, в том числе Векшина, другие шевелили губами, пытаясь запомнить, а большинство делало вид, будто записывают или запоминают. Двое смельчаков на последней парте не делали и вида.

Закончив диктовку, Родыгин рассказал про глазомер. При хорошем глазомере под колеса не попадешь, потому что легко можно определить расстояние до приближающейся машины, соотнести его с длиной ее тормозного пути и принять верное решение — идти или подождать. Все это делается автоматически, для чего нужно постоянно тренировать свой глазомер.

— Скажите-ка мне, — предложил Родыгин, — сколько метров от доски до противоположной стены. Только быстро.

Ответы расположились в широком диапазоне. Он выслушал всех и без особой надежды спросил:

— А в вашем классе есть кто-нибудь, кто попадал под машину?

Оказалось, есть. Филимонова весной сбило мотоциклом, неделю в школу не ходил.

— Встань, Филимонов! — зашипели девочки. — Вставай! Про тебя говорят!

Филимонов встал.

Маленький ушастый мальчик в школьной форме, ему показалось, что привычный мир остался далеко внизу, а сам он, как выдернутая из воды рыбина, прорезал головой спасительную пленку и теперь хватал ртом воздух, задыхаясь от ужаса и одиночества. Он не записал и не запомнил тормозной путь мотоцикла “ИЖ-Планета”, который сбил его около магазина "Дары природы". Филимонов пил там томатный сок, чудесный дар природы по десять копеек стакан, а соль бесплатно. Когда он отлетел к газону и увидел кровь у себя на рубашке, первая мысль была, что это из него выливается томатный сок.

— Вот мы и спросим у Филимонова, сколько здесь метров.

— Где? — спросил веселый мальчик, до этого сидевший под столом.

Тот же вопрос читался в глазах у многих, включая тех, кто на него уже ответил. За истекшие две минуты условие задачи успело выветриться у них из памяти.

— От этой стены, где доска, и до той, — терпеливо показал Родыгин и опять перевел взгляд на Филимонова. — Ну, сколько здесь метров?

— Двенадцать, — глубоко вздохнув, прошептал Филимонов.

— Громче. Чтобы все слышали.

— Двенадцать метров.

— Что ж, проверим. У меня шаги ровно по восемьдесят сантиметров. Значит, сколько здесь должно быть моих шагов?

Воцарилось гробовое молчание. Наконец, одна девочка, посчитав на бумажке, подняла руку, встала и ответила полным ответом:

— Ваших шагов должно быть пятнадцать.

— Умница, — поощрил ее Родыгин. — А теперь считайте.

Он занял исходную позицию, плотно прижав к плинтусу задники ботинок, и с левой ноги, печатая шаг, двинулся по проходу.

— Раз, — грянул нестройный хор, с каждым шагом набирая силу. — Два. Три...

На четвертом шаге Родыгин отчетливо осознал, что шагов будет именно пятнадцать, не больше и не меньше. Тогда он крепко удлинил пятый шаг, еще сильнее — шестой, а седьмой и восьмой махнул метра по полтора. Рост позволял сделать это незаметно, кроме того, сыграла свою роль отвлекающая жестикуляция.

— Десять, — прогремел хор.

— С половиной, — великодушно добавил Родыгин.

Наступила тишина, Филимонов остекленевшими глазами смотрел в простенок. Он был пропащий человек. У него оказался плохой глазомер, поэтому он и попал под мотоцикл. И еще попадет.

— Вот видишь? — с ласковым укором сказал ему Родыгин. — Садись.

Филимонов сел. Девочки поглядывали на него с жалостливым любопытством, как на кандидата в покойники.

Чувствуя легкие уколы совести, Родыгин неторопливо двинулся в обратную сторону.

— Пройдут годы, — говорил он на ходу, — вы все вырастете, будете честно трудиться в народном хозяйстве и сами сможете приобрести автомобиль в личное пользование. Кто из вас хочет иметь личный автомобиль? Поднимите руки.

Подняли все, кроме самого маленького и хуже других одетого мальчика, сказавшего, что у него уже есть, и Векшиной, которая ничего не сказала.

Не добившись от нее объяснений, Родыгин продолжил:

— Одно твердо запомните со школьной скамьи: никогда, ни при каких обстоятельствах нельзя садиться за руль в нетрезвом виде.

Для наглядности он крупными мазками набросал картину, чьи герои были выхвачены прямо из жизни. Вот Векшина, сама уже мама, катит по тротуару детскую коляску... Родыгин сделал паузу, потому что, как и следовало ожидать, по классу порхнули смешки. В основном невинные, но две-три девочки стыдливо фыркнули, опуская глаза, а откуда-то слева донеслось осторожное мужское гоготанье. "Уже знают", — с грустью подумал Родыгин. Сам он узнал об этом гораздо раньше, но для городских детей, не имеющих дела с домашней скотиной, знание было довольно ранним, и уж, конечно, не из чистых уст.

Интригующим тоном, чтобы переключить внимание, Родыгин поспешил сообщить, что Векшина была на молочной кухне. Она спокойно катит коляску с младенцем, а за пару кварталов от нее, еще неразличимый в потоке других машин, мчится автомобиль, за рулем которого сидит Филимонов. Он возвращается с дня рождения, где пил не только томатный сок.

Филимонов польщенно заулыбался.

Теперь уже никаких уколов совести не чувствуя, Родыгин напомнил, что глазомер у него и так-то плохой, а после дня рождения вовсе никуда не годится. Вдобавок только что отшумела гроза, асфальт мокрый, тормозной путь увеличивается. Филимонов давит на педаль. Поздно! В глаза ему бьет красный свет, цвет крови, машину неудержимо несет на линию перехода, по которой счастливая мать катит свою коляску.

За окном взвизгнули тормоза, Векшина зажмурилась. Ее дочку звали Агнией, она была толстенькая, смугленькая, в атласно-розовом конверте с кружевами. Ни в коем случае не в синем, синие для мальчиков.

В последний момент Родыгин заставил Филимонова столкнуться с хлебным фургоном, обошлось без человеческих жертв, но жители целого микрорайона остались без хлеба. А ведь утром им идти на работу. С чем они будут пить чай?

Эта проблема взволновала всех. Был высказан ряд предположений, с чем именно. В перечне фигурировали сырники со сметаной, оладьи простые и картофельные, пресные лепешки, вафли, печенье и даже плоды хлебного дерева. Его, как с еврейским апломбом сказал рыхлый мальчик с оттопыренными ушами, вполне возможно вырастить в квартирных условиях специально для таких случаев.

Векшина в дискуссии не участвовала, ей было все равно. Она думала о том, почему Надежда Степановна решила, что эта лекция ей, Векшиной, будет интереснее, чем другим ребятам. Подозрения были и раньше, но когда Родыгин стал объяснять, какие меры наказания применяют к пьяным водителям, отпали все сомнения.

Отец Векшиной работал в автотранспортном предприятии шофером-экспедитором на дальних перевозках. Три месяца назад на загородной шабашке ему поднесли деревенской браги с водкой, по пути домой он своротил своим “ЗИЛом” сарай с инструментами дорожной бригады и подрался с милиционером. Отца посадили на пятнадцать суток, отобрали права и перевели из водителей в автослесари. Полсотни рублей разницы в зарплате пережить можно, живали и хуже, говорила мать, но в слесарях отец начал пить. Спьяну он бежал в гараж, норовил вывести из бокса свой “ЗИЛ” и проехать на нем по “восьмерке” между разложенными на земле спичечными коробками. Охрана ловила его уже дважды, на третий раз грозились завести дело в милиции. Мать об этом постоянно всем рассказывала, потому что надо же ей хоть кому-то рассказать о своем горе. Векшина умоляла не говорить Надежде Степановне, но, значит, рассказано было и ей. Захотелось сорвать с шеи ключ, выбросить в окно и никогда не возвращаться домой.

За окном плавно опускался на газон почти совсем зеленый лист американского клена. Непонятно было, зачем он, такой зеленый, сорвался с ветки. На его месте Векшина бы еще повисела. Она вспомнила, что скоро листья пожелтеют, начнут падать один за другим, пружинить под ногами. Можно будет прыгнуть на них с третьего этажа и не разбиться.

— Три года... Пять лет, — парил над ней пророческий голос Родыгина. — Повлекшее тяжкие последствия... Десять лет...

Неслышно ступая по опавшим листьям, папа шел навстречу от тюремной ограды. Вот он заметил коляску, спрашивает: "Мальчик или девочка?" — "Агния, внучка", — отвечает Векшина, и они, обнявшись, тихо плачут от счастья.

2

В учительской готовилось чаепитие, Надежду Степановну отправили в соседний гастроном за тортом. Денежной кассой заведовал физик Владимир Львович, с которым у нее намечался легкий служебный роман, и она с удовольствием отправилась к нему за деньгами.

На столе у него в лаборантской сверкала батарея пол-литровых банок с купами ядовито-синих кристаллов. Девятиклассники выращивали их на каникулах из раствора медного купороса. Эти кристаллы всегда появлялись тут в сентябре как последний привет уходящего лета. Своим феерическим видом они примиряли Надежду Степановну с мыслью о том, что рубин в ее серебряном колечке не вырублен из горных жил, а тоже рожден в какой-то стеклянной емкости.

Была надежда, что Владимир Львович захочет вместе с ней пойти за тортом, но он не захотел. Взяв деньги, она снова вышла в коридор. Шел шестой урок, всюду царил вольный дух междусменки. Дети сидели на подоконниках, хотя это было строжайше запрещено вывешенными на всех этажах "Правилами для учащихся", и при ее появлении не спешили спрыгивать на пол. Знали, что сгонять их она не будет. "Вы хотите быть добренькой за мой счет", — говорила ей Котова, завуч по воспитательной работе. Когда Котова проходила по коридору, подоконники мгновенно пустели, но за ее спиной на них вновь торжествующе плюхались ребячьи попки.

На первом этаже Надежда Степановна подошла к двери своего класса, прислушалась. За дверью царила могильная тишина, как во время контрольной работы за полугодие. Стало обидно, что Родыгин с такой легкостью добился успеха. Она приоткрыла дверь и заглянула в щелочку. Векшина теребила свой ключик, вид у нее был какой-то пришибленный.

Угрызаясь, что полезла к ней со своей демагогией, Надежда Степановна поймала ее взгляд, чмокнула себя в ладошку, затем сложила ее лодочкой, поднесла к губам и дунула.

Пушистое облачко воздушного поцелуя поплыло в сторону Векшиной, но до нее не доплыло. Веселый мальчик, всю первую половину беседы просидевший под столом, подстрелил его из трубочки комком жеваной бумаги.

Надежда Степановна этого не видела, она уже вышла на улицу. Родыгин услышал знакомый звук и понял его происхождение, но решил не прерываться.

— В нашей стране, — говорил он, — пьянство за рулем сурово карается законом. Очень сурово, но все же не так, как в некоторых зарубежных странах. Есть на земном шаре такие государства, где пьяниц-водителей сразу приговаривают к смертной казни.

— Так им и надо, алкашам, — сказала рано развившаяся толстая девочка с пятнами зеленки на подбородке.

— Тебя как зовут? — спросил у нее Родыгин.

— Вера.

— Ребята, все согласны с Верой?

Филимонов поднял руку.

— Давай, — обрадовался Родыгин, — выскажи свое мнение.

— Можно выйти? — спросил Филимонов.

— Я-то думал, ты хочешь ответить на мой вопрос.

— Меня тошнит.

Родыгин обвел класс испытующим взглядом, пытаясь понять, врет он или говорит правду, но ничего не понял.

— Что с тобой делать! Иди.

Филимонов вышел в коридор и направился к туалету, но через два шага понял, что дойти туда не успеет. Томатный сок, выпитый весной в магазине "Дары природы", колом стоял в горле. Он повернул обратно, выбежал на крыльцо, заскочил за угол, и здесь его вырвало.

Рядом была разрыта земля, рабочие укладывали в траншею обернутые войлоком трубы теплоцентрали. Филимонов сел на крыльцо и, как учила мама, стал глубоко дышать носом. Пахло электричеством.

3

Надежда Степановна тоже почувствовала этот разлитый в воздухе тревожный запах, но в ее памяти для него не нашлось подходящего имени. Торопясь успеть до перерыва, она перебежала улицу в неположенном месте и все-таки опоздала. Гастроном уже закрывался на обед, вход перегораживала мрачная тетка в белом халате. Унижаться перед ней не хотелось. В поисках чего-нибудь, способного заменить торт, Надежда Степановна направилась к импровизированному рыночку около трамвайной остановки. Десятка полтора старушек сидели на перевернутых магазинных ящиках, перед ними стояли бидоны с ягодами и райскими яблочками, в бутылках торчали бледные осенние астры и гладиолусы, на расстеленных газетах жалкими кучками лежали последние в этом году грибы. Одна бабка торговала мухоморами. Они предназначались для язвенников, имеющих терпение варить их в семи водах, но выглядели как жар-птица среди воробьев.

Надежда Степановна прошла рыночек насквозь и перед крайней старушкой увидела облупленную эмалированную кастрюльку, доверху наполненную мелкими буровато-черными ягодами. Она даже не сразу поняла, что это черемуха. Торговать ею можно было только от полной безнадежности. Черемуха давно не считалась за ягоду, последний пирожок, для которого она послужила начинкой, Надежда Степановна съела лет двадцать назад. А какие были пирожки! Легкий хруст дробленых косточек, мраморные прожилки на корочке, душистая фиолетовая мякоть внутри.

— Почем? — спросила она.

— Полтинник стакан.

Надежда Степановна достала из кошелька рубль.

— Один, пожалуйста.

— Бери уж два, сдачи нет, — сказала старушка, вынимая из крошечного запавшего рта, похожего на рот постаревшей куклы, несоразмерно громадную папиросу.

В последнее время Надежда Степановна все чаще задумывалась о собственной старости. Семьи у нее не будет, это ясно, и родить ребенка без мужа она скорее всего не решится. После выхода на пенсию идеальным вариантом для нее было бы зиму жить в городе, а лето проводить в учительском пансионате. Такой пансионат для заслуженных работников просвещения существовал на севере области, в старинном райцентре, где позапрошлым летом Надежда Степановна была с ребятами на экскурсии. В тени Спасо-Георгиевского собора приютился двухэтажный купеческий особняк с эркером, со стеклянными горбами парников на крыше. Когда-то он принадлежал владельцу здешней фаянсовой фабрики, меценату и сумасброду. На чердаке был устроен бассейн, в нем плавали и питались свежей рыбой из Колвы два нильских крокодила. Как рассказывали местные жители, один тихо умер в революцию от голода, другой был застрелен во время кулацкого мятежа, в котором активно участвовали не жаловавшие заморских тварей кержаки-старообрядцы. Первого зарыли в овраге, чучело второго легло в основу коллекции районного краеведческого музея, но там ему не суждено было обрести покой даже после смерти: на протяжении полувека его постоянно перетаскивали из отдела истории края в отдел природы и обратно.

Все эти годы бассейн пустовал, в него сваливали всякий хлам, через выбитые ячейки заметало снег и семена полыни, но не так давно дыры залатали, натаскали земли, и теперь там была оранжерея. Цветы, а заодно и овощи к столу разводили заслуженные работницы просвещения. С двумя из них Надежда Степановна подружилась, посылала им индийский чай, конфеты, открытки на Восьмое марта и День учителя, а они однажды с оказией прислали ей букет чудесных, почти не увядших в дороге белых хризантем. Вот уже второй год этот нищий пансионат, окруженный тайгой, лагерными зонами и лесосплавными участками, казался обителью покоя, единственным в мире местом, куда только и можно стремиться душой.

С намокающим от ягодного сока кульком-фунтиком, стараясь держать его подальше от нового плаща и запоздало ругая себя, что польстилась на эту совершенно не нужную ей черемуху, Надежда Степановна по мосткам перешла выкопанную рядом со школой траншею и увидела сидевшего на крыльце Филимонова. Он уже дышал ртом, потому что от сидения на каменной ступеньке внезапно прошиб насморк.

— Меня тошнило, — издали объявил Филимонов, чтобы и мысли не возникло, будто он изгнан из класса за плохое поведение.

— Господи! А что ты ел?

Филимонов перечислил. Надежда Степановна и все ребята ели в буфете то же самое, но никого не тошнило, даже Векшину с ее больной печенью.

— Странно. С чего бы это?

— Не знаю, — сказал Филимонов, хотя смутно догадывался о причине.

— Живот болит?

— Нет.

Присев на корточки, Надежда Степановна положила кулек на ступеньку, вынула из сумочки платок и стала оттирать со щеки Филимонова присохший ошметок кунцевской булочки. Другой рукой она придерживала его за чистую щеку, чтобы голова не болталась. Потом ему велено было идти в класс. Он пошел, Надежда Степановна сунула испачканный платок обратно в сумочку и тут только заметила, что из бокового отделения исчез кошелек.

4

Дожидаясь ответа на свой вопрос, Родыгин смотрел в окно. Сквозь листву американских кленов видны были серые пятиэтажные коробки шестидесятых годов, белые девятиэтажки последних лет. Кое-где между ними торчали трубы котельных. Самая ближняя была самой старой. Выложенная из побуревшего кирпича, которого никогда не касалось жаркое дыхание пескоструйных аппаратов, она плавным изгибом расширялась к основанию и напоминала бухарский минарет Калян. Родыгин видел его, когда служил в армии.

Никто больше руки не поднял, хотя времени на размышление дано было достаточно. Пришлось отвечать самому.

— А вот я, ребята, — твердо сказал Родыгин, — с Верой не согласен. Смертная казнь — это недопустимая мера наказания. Наказание должно исправлять человека, если, конечно, еще есть надежда его исправить. Например, в Турции нашли оригинальный выход из положения.

Он рассказал, что в Турции, когда поймают выпившего за рулем, заставляют его пройти пешком тридцать километров. Сзади на мотоциклах едут полицейские, следят, чтобы по дороге не вздумал остановиться или присесть где-нибудь в холодке.

— Лично я думаю, что в этом случае неплохо бы нам поучиться у турок, — сказал Родыгин тем доверительным тоном, который в таких случаях неизменно завораживал его самого, — тоном человека, не только имеющего доступ к закрытой информации, но из уважения к данной аудитории позволяющего себе сказать то, чего в другой аудитории он бы, конечно, говорить не стал.

Страшная турецкая жара сгустилась в классе, от столов дрожащими струями поднялся к потолку раскаленный воздух. Прямо перед собой Векшина увидела уходящую за горизонт, белую от зноя каменистую дорогу. По ней, шатаясь от усталости, брел папа. Его рубашка прилипла к спине, волосы поседели от пыли. Пот заливал ему глаза, иногда он с мольбой о дожде поднимал их к небу, надеясь различить вдали крохотное облачко, которому, как обычно бывает в южных странах, суждено скоро превратиться в грозовую тучу. Вслед за ним на громадных, с кривыми рогами, ревущих и сверкающих под солнцем мотоциклах ехали усатые полицейские в фесках. Они норовили подтолкнуть папу передними колесами: шнель, шнель!

Закусив губу, Векшина вытащила из портфеля пенал, из пенала — кусочек мела и незаметно выбелила ребро своего стола. Время от времени Родыгин прислонялся к этому ребру, была надежда, что он выпачкает себе брюки.

Программа беседы была исчерпана, но Родыгин полагал делом чести закончить ее одновременно со звонком. Шумная благодарность маленьких слушателей, отпущенных по домам раньше срока, не трогала его сердце. Он подумал, что раз уж заговорили о пьяных водителях, полезно будет рассказать о том, как с ними поступают в Сингапуре.

— А вот в Сингапуре...

Родыгин умолк, потому что в дверь боком протиснулся Филимонов.

— Можно войти? — спросил он.

Не ответив ему, Родыгин обратился к классу:

— Ребята, что он забыл сделать?

— Постучаться? — догадалась соседка Векшиной.

— Слышал?

— Ага.

— Тогда выйди и войди как положено.

Филимонов вышел, аккуратно прикрыл за собой дверь и три раза стукнул в нее со стороны коридора.

— Войдите, — гостеприимно отозвался Родыгин.

Дверь открылась, Филимонов переступил порог и замер.

— Ну, дальше, — подбодрил его Родыгин. — Что теперь нужно сказать?

— Можно войти?

— Ты уже вошел.

Облегченно вздохнув, Филимонов пошел было к своему столу, но Родыгин, как гипнотизер, на расстоянии удержал его отвесно выпрямленной ладонью.

Филимонов ощутил, как в грудь ему упирается что-то невидимое и упругое, похожее на струю воздуха от вентилятора, только гораздо тоньше и тверже. Он задом отступил обратно к двери.

— Теперь нужно попросить разрешения сесть на место, — подсказал Родыгин.

Филимонов молчал, чувствуя, что скоро зазвенит звонок. Звонок всегда начинался щекоткой в животе, а уж потом слабым эхом гремел по этажам.

— Давай начнем все сначала, — предложил Родыгин. — Выйди еще разок и постучи.

— Честное слово, меня тошнило, — сказал Филимонов.

— Пожалуйста, — попросила Векшина, — разрешите ему сесть!

Она по себе знала, какое охватывает одиночество, если вдруг что-то заболит в школе, голова или печень. Недавно на истории у нее пошла носом кровь, Надежда Степановна уложила ее в учительской на диване, и она весь урок пролежала там лицом к потолку, думая о смерти.

Сейчас, чтобы не расплакаться, нужно было немедленно вспомнить что-нибудь хорошее. Векшина стала вспоминать Новый год. Для школьной елки мама сшила ей костюм принца из “Золушки”, папа купил в магазине “Подарки” стеклянную пепельницу в виде туфельки. Праздник устроили в спортивном зале, елка стояла на диске старого проигрывателя и начинала вращаться со скоростью тридцать три оборота в минуту, когда Дед Мороз стукал об пол своим посохом. Надежда Степановна, одетая Снегурочкой, села прямо на пол, сняла один валенок, взяла у Векшиной ее хрустальную туфельку, с которой та неприкаянно ходила туда-сюда вдоль шведской стенки, и уморительно пыталась надеть себе на ногу. Все вокруг смеялись, лишь Векшиной почему-то хотелось плакать, и, как всегда, тем горше, чем темнее был источник этих неизъяснимо подступающих к горлу слез.

Родыгин подмигнул Филимонову.

— За тебя тут Векшина ходатайствует. Ты, понимаешь, спьяну чуть не задавил ее вместе с младенцем, а она уже все простила. Вот женщины! Давай-ка выйди, постучи и отчекань как настоящий мужчина.

Филимонов опять вышел, дверь закрылась. Родыгин приготовился ласково потрепать его по затылку, когда он будет проходить мимо. Кожу на ладони щекотнет нежный ежик филимоновских волос.

Прошла минута, никто не постучал.

Родыгин прошагал к двери, осторожно притворил ее, распахнул настежь. Филимонов исчез, коридор пустынно расстилался в обе стороны. За окнами темнело, собирался дождь. Возле ближнего окна стояла швабра, техничка Алевтина Ивановна медленно сыпала из ведра на пол светлые опилки.

— Не знаю, — ответила она на вопрос о том, куда подевался только что бывший тут мальчик.

В классе тоже сделалось темно, Родыгин включил электричество и вернулся к прерванной теме:

— Так вот, ребята, в Сингапуре с пьяными водителями поступают еще оригинальнее, чем в Турции...

5

Вернувшись на рыночек, Надежда Степановна громко спросила:

— Кошелька никто не находил?

Ответом было молчание. Старушки неподвижно восседали на своих ящиках, стараясь не встречаться с ней взглядом.

Она все поняла и двинулась между ними, спрашивая то же самое у каждой в отдельности. Рядом шел какой-то старик в офицерском кашне. Он интересовался ценами на грибы, возмущаясь и поминая Бога — в том смысле, что не вредно бы его побояться в пенсионном возрасте.

— А он нынче в отпуску, — злорадно сказала бабка, торговавшая мухоморами.

Наконец, подала голос та самая старушка с черемухой.

— Какой он из себя?

— Черный, — сказала Надежда Степановна.

— И что в нем есть?

— Десять рублей денег. Квитанции.

— И все?

— Еще мелочь.

— Мелочь, что ли, не деньги? Сколь ее было?

— Не помню.

— Сама не знает, сколь у нее денег, — сказала эта старушка другой, сидевшей на соседнем ящике перед трехлитровой банкой с торчащими из нее бесцветными гладиолусами.

Та охотно выразила свою солидарность, сказав:

— Богатые все стали, копейки уж и не считают.

— Потом станет говорить, что я взяла, — по тому же адресу добавила старушка с черемухой и снова повернулась к Надежде Степановне. — Давай, милая, вспоминай. Как вспомнишь, так и отдам. Много вас тут ходит. Может, и не твой.

На ней был плюшевый, с пролысинами, черный салопчик, мужские ботинки. Голова повязана застиранной косынкой с изображением церкви Сакре-Кёр и Эйфелевой башни.

Старик в офицерском кашне сказал Надежде Степановне:

— Не слушайте ее, у них на сберкнижках побольше нашего.

В ожидании грозы город затих. Прохожие поглядывали вверх и ускоряли шаги. Надежда Степановна совсем собралась уйти, наплевав на эту несчастную десятку, как вдруг услышала:

— Ты только меня правильно пойми, девушка. Я сейчас вся дрожу.

Старушка достала кошелек.

— Твой?

Глаза ее сияли.

— Чего молчишь? Язык от радости проглотила?

— Мой.

Надежда Степановна почувствовала, что ее саму начинает бить дрожь.

Она взяла протянутый кошелек. Старушка не сразу отпустила его, их пальцы соприкоснулись, и Надежда Степановна всем сердцем ощутила торжественность этой минуты.

— Десять рублей, восемьдесят четыре копейки. Пересчитай.

— Зачем?

— Пересчитай, говорю, при свидетелях!

Между тем свидетелей становилось все меньше. Опасаясь дождя, бабки скоренько собирали свои пожитки и уходили. Рыночек разваливался на глазах. Быстро темнело, ветер нес по улице бумажный мусор. Как ключи с речного дна, в похолодевшем воздухе завихрились столбики пыли, вокруг опустевших ящиков завели хоровод рваные газеты и трамвайные талоны.

Надежда Степановна послушно пересчитала мелочь в кошельке, но просто взять его и уйти уже не могла, продолжала стоять перед старушкой, не зная, чем искупить постыдную разницу между своим отношением к потере и ее — к находке. Не придумав ничего лучше, предложила:

— Давайте, я у вас еще черемухи куплю.

— Иди уж. Не надо, — устало ответила та, все еще дрожа под грузом ответственности, легшим на ее плечи.

Потом она дала себя уговорить, Надежда Степановна заплатила еще за два стакана, но чувство вины не исчезло. Она смотрела, как катятся в кулек черные шарики, и слышала далекий протяжный гул, наплывающий с северо-востока, со стороны плотины ГЭС. Там сплошной пеленой стянуло небо и землю, гигантские валы разгуливались на бескрайних просторах водохранилища. Тот, о ком говорила бабка с мухоморами, в самом деле, наверное, взял отпуск, иначе трудно было объяснить такую грозу в конце сентября.

В школе начали зажигать свет, дежурные выставляли на карнизы горшки с цветами, чтобы напоить их дождевой водичкой. “Как бы стебли не поломало”, — подумала Надежда Степановна.

Она взяла второй кулек, и в это мгновение с грохотом разломились небеса, грозовая пелена, давно уже одевшая северо-восток, стремительно надвинулась, дождь хлестнул с такой силой, что капли, ударяясь об асфальт, расшибались вдребезги. Слышался глухой стук, водяная пыль стелилась над землей.

Затем стук сменился шелестом — вода падала в воду. По улице потекла река, противоположный берег заволокло туманом, кульки намокли, пальцы Надежды Степановны стали фиолетовыми. Она отступила к киоску “Союзпечати”, а старушка со своей кастрюлькой спряталась под карнизом закрытого на обед гастронома.

С карниза текло, волнистая бахрома колыхалась перед ее глазами. Обнимая кастрюльку, она думала, что до весны, может быть, не доживет, и тогда, значит, эта гроза — последняя в ее жизни, но страха смерти не было. Душа, невесомая от сознания исполненного долга, рвалась к небесам, туда, где рвались и сверкали электрические разряды. Когда она умрет, дочь наденет ей на палец проволочное медное колечко, а конец проволоки выведет из гроба наружу. Так советовала сделать соседка, чтобы душе легче было покинуть тело. По проволоке она стечет в землю и уйдет в небеса. Чем честнее живешь, тем больше в душе электричества, а оно везде одинаково, на земле, в земле и на небе, так чего ее бояться, смерти-то?

6

Алевтина Ивановна высыпала из ведра все опилки, взяла швабру и начала мести пол на первом этаже. В кармане у нее позвякивали друг о друга два соседних на связке ключа — от раздевалки и от несгораемого настенного ящика, в котором, недоступная детским пальчикам, надежно укрыта пластмассовая красная кнопка звонка. Нажимать ее было пока что не время. Алевтина Ивановна спокойно сметала шваброй темнеющие от впитанной грязи опилки. Она всегда делала это в междусменку. Внутренний голос еще не сказал ей: пора!

С третьего этажа, из окна своей лаборантской, Владимир Львович видел, как Надежда Степановна вернулась к школе, а затем снова направилась на другую сторону улицы. С естественным, ни к чему не обязывающим интересом зрелого женатого мужчины к зрелой незамужней женщине он отметил, с какой грацией она балансирует на шатких мостках, перекинутых через вырытую возле крыльца траншеею. Сзади это выглядело особенно впечатляюще, Владимир Львович пожалел, что отказался пойти за тортом вместе с ней. Он запер лаборантскую и мимо учительской, где уже начали пить чай без торта, спустился вниз, чтобы встретить Надежду Степановну на крыльце.

Порывами дул предгрозовой ветер, пахло тем электричеством, какого никогда не добудешь в лабораторных условиях. За углом школы трое работяг распивали поллитровку из единственного складного стаканчика.

— Что празднуем, мужички? — фальшивым басом осведомился Владимир Львович.

— День Парижской Богоматери, — ответили ему неприветливо.

Владимир Львович подумал, что они, наверное, из тех, кто на ветровое стекло своих грузовиков вешает фотографию Сталина.

Он отошел от них подальше, пару минут потоптался на ступенях, чувствуя, как остывает в нем жар мимолетного соблазна, потом отправился в учительскую пить чай.

По дороге завернул в туалет и увидел сидящего на подоконнике Филимонова.

— Ты чего здесь? Кончилась беседа? — спросил Владимир Львович, становясь к писсуару.

— Меня тошнило, — гордо ответил Филимонов.

Это был пароль, открывающий все пути, гарантирующий сочувствие и содействие взрослых, но Владимир Львович отнесся к нему без должного почтения. Он молча ушел, Филимонов снова остался один в туалете.

Сидя на подоконнике, он смотрел в грозовое небо. Оно лежало над городом, как пальто. Иногда, вспарывая подкладку, по нему скользили белые ножницы молний.

Окно выходило на улицу. У светофора, вскидывая багажники, с пронзительным визгом замирали машины. Водители озабоченно смотрели на дорогу, зная, что сейчас хлынет дождь, на мокром асфальте увеличится длина тормозного пути.

Загорелся зеленый, в потоке автомобилей Филимонов увидел машину "скорой помощи" и тут же, зажав левую руку в кулак, загадал желание. Этот способ он узнал от Векшиной. Она его научила, что если на улице увидишь "скорую помощь", нужно зажать кулак и не разжимать его, пока мимо не пройдут три человека в очках. Тогда кулак следует быстро разжать, произнести желание вслух, и оно исполнится. Филимонов загадал, чтобы этого лектора из ГАИ убило молнией.

Почти сразу после этого по тротуару под окном прошел один очкарик, через минуту — второй, но третий не появлялся. Прохожих становилось все меньше. Пальцы, сведенные в кулак, вспотели и начали затекать.

В коридоре раздались уверенные шаги, приблизились и замерли у входа в туалет. Дверь распахнулась, ударившись ручкой о стену, но никто не вошел. Наступила тишина, затем знакомый женский голос приказал:

— А ну, выходите!

Голос принадлежал завучу Котовой, которой боялись все, даже Надежда Степановна.

Филимонов затаился. Он только что нашел у себя в кармане и съел конфету "мятный горошек", Котова могла подумать, будто он съел ее специально, чтобы от него не пахло табаком. Он несколько раз сглотнул пересыхающую от волнения слюну, тихо подышал, проветривая рот. Выходить было страшно.

Никто не вышел, и Котова вошла сама. Она была единственной в школе женщиной, способной войти в мужской туалет, если оттуда тянет табачным дымом. Другие учительницы в таких случаях звали физрука или военрука.

В туалете было пусто, дымом если и пахло, то застарелым. Пятиклассник Филимонов одиноко стоял у окна.

— Почему не на беседе? — спросила Котова, доставая из футляра очки, чтобы проверить, нет ли на стенах порнографических рисунков и матерных надписей.

Филимонов объяснил, как уже привык объяснять.

Он смотрел на нее в надежде, что она сейчас наденет очки и станет третьей по счету.

— А что у тебя в руке? — заинтересовалась Котова.

— Ничего, — ответил Филимонов одними губами.

— Неправда. Я вижу, в кулаке у тебя что-то есть. Это сигарета?

— Нет.

— А что?

— Ничего.

— Покажи, — потребовала она и, наконец, сделала то, чего от нее ждал Филимонов.

В тот же момент, резко растопырив пальцы левой руки, он прошептал свое желание. Котова увидела пустую ладошку, но слов не расслышала. Все заглушил раскат грома.

7

Тех, кто пьяным садился за руль, в Сингапуре арестовывали и сажали в тюрьму на пятнадцать суток. Для доходчивости Родыгин назвал эту цифру, хотя понятия не имел, какой срок заключения предусмотрен соответствующей статьей сингапурского уголовного кодекса. В журнале "За рулем" об этом не говорилось. Никакой особой оригинальности тут не было, если бы не одна пикантная деталь: таких водителей сажали в тюрьму вместе с женами.

— А дети как же? — спросила прозрачная девочка за вторым столом.

— Детей забирают бабушки и дедушки, — нашелся Родыгин.

— А если они уже умерли?

— Тогда какие-то другие родственники временно переезжают к ним домой или берут детей к себе.

— А если никого нет?

— Тогда их на полмесяца сдают в детский дом.

— И заставляют надевать все детдомовское? Или разрешают ходить в своем? — заволновалась соседка Векшиной.

— Разрешают, — успокоил ее Родыгин.

— Это только у нас в стране всех стригут под одну гребенку, — саркастически сказал мальчик с еврейскими ушами.

— Помолчи, — велел ему Родыгин.

Он посмотрел на пустой стул Филимонова и продолжил:

— Когда муж пьет, в этом часто виновата жена. Именно женщина создает семейную атмосферу, в которой мужчина или тянется к спиртному, или нет. Значит, жена должна отвечать перед обществом за своего мужа. Так считают в Сингапуре. А вы как считаете?

На своих беседах он всегда ставил перед детьми проблемные ситуации, обучал, воспитывая, и воспитывал, обучая, как делают лучшие учителя-методисты.

— Ну так как же? — с провоцирующей улыбкой спросил Родыгин. — Правильно сажать в тюрьму жен вместе с мужьями?

Грудастая Вера сказала, что правильно, муж и жена — одна сатана. Остальные девочки настороженно молчали. Один мальчик возразил Вере, сказав, что в Сингапуре поступают неправильно, но не сумел объяснить, почему он так думает. Другой мальчик пришел ему на помощь, объяснив, что с женой этому человеку в тюрьме будет не так скучно.

— Ага, — кивнул Родыгин. — По-твоему, присутствие жены облегчит ему наказание, а ты хочешь, чтобы оно было более суровым. Я верно тебя понял?

— Да, — согласился мальчик и добавил, что одному в камере плохо, а вдвоем, царапая чем-нибудь острым по камню, можно играть в “балду” или в “морской бой”.

— Или в крестики-нолики, — подсказали с заднего стола.

Список доступных узникам развлечений начал разрастаться. Наконец, соседка Векшиной, взглянув на проблему с другой стороны, сказала, что для любящих людей настоящим наказанием должна быть разлука, и класс притих, потрясенный глубиной этой мысли. Слышнее стали за окнами порывы ветра, унылый звон полых металлических стоек под баскетбольными щитами.

В тишине поднял руку лопоухий мальчик.

— Что еще? — обреченно спросил у него Родыгин.

Тот встал и сказал, что ребята не сказали, что в тюрьме эти муж и жена могут играть в шахматы, сделанные из хлебного мякиша. При царе в тюрьмах революционеры всегда играли в такие шахматы, он читал об этом в книжке “Грач — птица весенняя”.

— В Сингапуре едят рис! — крикнула ему Векшина.

— А плоды хлебного дерева? — парировал мальчик.

— Там рис, рис, рис, рис! — захлебываясь слезами, повторяла Векшина и не могла остановиться.

Родыгин положил руку ей на голову.

— Что с тобой?

Она почувствовала, как у нее цепенеет шея. Казалось, на голове лежит кусок льда. Такой холод мог исходить только от очень большого начальника, даже испачканные мелом брюки не в состоянии были поколебать его величие. Этот человек вполне мог перенести в их город законы Турции и Сингапура.

— У нее папа алкоголик, его прав лишили, — сообщила соседка Векшиной.

Родыгин понял, что в целом классе одна эта стриженая девочка с ключиком на шее в состоянии оценить чудовищную действенность сингапурского наказания.

— Не плачь, — сказал он. — Твой папа пройдет курс лечения и снова сядет за руль. А ты можешь ему в этом помочь. Знаешь как?

Векшина не ответила. Она сидела, уткнувшись лицом в стол, плечи ее вздрагивали от рыданий.

— Кто знает, как Векшина может помочь своему папе излечиться от алкоголизма? — спросил Родыгин.

Ответ был настолько очевиден, что никто не стал высказывать его вслух. Сразу в нескольких местах несколько голосов доложили:

— Она и так хорошо учится.

Родыгин слегка смутился.

— Я не одно это имел в виду. Я имел в виду, что дети тоже могут повлиять на атмосферу в семье, не только жены.

— А есть страны, где и детей вместе с родителями сажают в тюрьму? — спросила соседка Векшиной.

— Таких нет, — ответил Родыгин.

Стараясь подавить рыдания, Векшина громко икнула раз, другой, третий. Пока все слушали, как она икает, ушастый мальчик предложил подробнее рассказать о хлебном дереве.

— На географии расскажешь, — оборвал его Родыгин.

Он обернулся к Векшиной.

— Встань-ка.

Она встала. В горле у нее затаился крохотный злой человечек. Когда он дрыгал ножкой, горло сжимала неудержимая судорога.

— Сделай вот так, — посоветовал Родыгин и показал как.

Он привстал на носки, немного постоял, балансируя корпусом, затем всей тяжестью тела грузно шлепнулся на пятки. Этот метод, описанный в книге известного авиаконструктора Микулина, помогал быстро удалить из организма вредные шлаки, скрытые отходы жизнедеятельности.

— Вот увидишь, сразу пройдет, — ободряюще улыбнулся Родыгин и повторил демонстрацию.

Векшина не шевельнулась, а любознательный мальчик объявил:

— У меня вопрос.

Родыгин взглянул на него с ненавистью.

— Ну?

— Кто живет в Сингапуре?

— Сингапурцы.

— А они кто?

— Люди. Такие же, как мы с тобой.

В ответ сказано было с еврейской безапелляционностью:

— Нет, не такие. Они мусульмане.

— И что?

— У мусульман много жен. Их сразу всех сажают в тюрьму вместе с мужем, весь гарем? Или по очереди?

— Подойди ко мне после звонка, я отвечу на твой вопрос, — пообещал Родыгин и перевел взгляд на застывшую, как истукан, Векшину. — Не хочешь, как хочешь. Тебе же хуже.

— Я принесу ей воды, можно? — вызвался самый маленький и беднее всех одетый мальчик.

Родыгин кивнул, подумав, что именно в таких детях сильнее развита способность к состраданию.

Мальчик взял портфель и пошел. Когда дверь за ним закрылась, откуда-то сзади со знанием дела известили:

— Больше не придет.

Векшина опять икнула.

— Садись, — велел ей Родыгин.

Она села, зацепив коленями портфель. Он вывалился из ниши, учебники и тетрадки рассыпались по полу. Отдельно отлетела маленькая стеклянная туфелька, с прошлогодних зимних каникул всегда лежавшая в портфеле как напоминание о том, что счастье возможно.

Родыгин поднял ее, провел пальцем по ложбинке над каблуком. В нее следовало класть недокуренную сигарету.

— Зачем ты носишь с собой эту пепельницу?

— Отдайте, — сказала Векшина, засовывая в портфель все то, что из него выпало.

Человечек в горле последний раз дрыгнул ножкой и выскочил в форточку, под дождь. Он уже минуты две хлестал по стеклам, окутывая класс ровным усыпляющим гулом.

— Это пепельница твоего папы?

— Мой папа не курит.

— Не ври. Кто пьет, тот курит, — поделилась жизненным опытом рано созревшая Вера с зеленым подбородком.

С туфелькой на ладони Родыгин прошелся по классу, чувствуя на себе взгляд Векшиной, хотя она не только не поворачивала головы в его сторону, но даже не двигала зрачками. Векшина смотрела так, словно ее нарисовали на агитплакате. Родыгин ощутил себя жертвой оптического обмана.

— Надеюсь, — сказал он, — в вашем классе нет таких ребят, которые курят.

— Филимонов курит, — наябедил веселый мальчик, в очередной раз вылезая из-под стола.

— И пьет, — добавили сзади и заржали.

— Отдайте, пожалуйста, — опять попросила Векшина.

Родыгин медлил. Судьба послала ему замечательное наглядное пособие для рассказа о вреде курения. Расставаться с ним не хотелось, но как его правильно использовать, он пока не знал. Мысли скользили в том направлении, что красота этой туфельки с ее женственными изгибами и острым хищным носом — это красота порока, нужно уметь отличать ее от подлинной красоты, которая делает человека лучше, а не пробуждает в нем низменные желания. Он начал говорить об этом, трудно подбирая слова, но перебили две нарядные девочки за одним столом.

— Пожалуйста, отдайте ей! Ну пожалуйста! — заныли они, нахально поглядывая на Родыгина и влюбленно — друг на друга.

— А то я вам ничего больше не стану рассказывать! — пригрозил начитанный мальчик.

Внезапно Родыгин понял, что не сказано о самом страшном — том, что пострашнее курения и даже алкоголя. Говорить о наркотиках в детской аудитории следовало с предельной осторожностью, он это, разумеется, понимал, но неожиданно для себя самого взял с места в карьер, спросив:

— Кто знает, что такое “мулька”?

Стало тихо.

Родыгин сощурился.

— Кто-нибудь знает? Только честно.

— У меня так кошку зовут, — робко сказала прозрачная девочка, сомневаясь в правильности ответа.

Все засмеялись, и она добавила:

— Раньше звали Муркой, но переназвали из-за сестры.

— Чьей? — спросили у второго окна.

— Моей. Она еще маленькая и не выговаривает букву “р”.

Тут зазвенел звонок. Сквозь шум дождя его звон казался слабым и неуверенным — так звенит лежащий под подушкой будильник, не приказывая вставать, но деликатно напоминая об этой печальной необходимости.

Ребята возбужденно заерзали.

— Тихо! — повысил голос Родыгин. — Это сигнал не для вас, а для меня.

Свои беседы он старался закончить так, чтобы после них оставались два противоположных чувства — полноты и одновременно незавершенности сказанного. Недостаточно изложить тему и сделать выводы, нужно внушить слушателям понятие о неисчерпаемости предмета. Родыгин виртуозно владел этим искусством, но сейчас мешал сосредоточиться тропический ливень за окнами. “Как в Сингапуре”, — подумал он и увидел, что Векшина вдруг рванулась к выходу.

В руке у нее был портфель, но она отпустила его, едва Родыгин, в прыжке догнав ее, схватился за ручку. Портфель остался у него, а Векшина юркнула в дверь. Он почувствовал себя мальчишкой, которому достался хвост улизнувшей ящерицы. Он бросил портфель на учительский стол и кинулся за беглянкой. Коридор надвинулся гамом, толкотней, ребячьи лица проносились мимо, как лампочки в тоннеле. Он бежал, чтобы вернуть Векшиной ее туфельку, а она уже нырнула в тамбур, вылетела на крыльцо.

Даже здесь, под крышей, воздух был пропитан колючей моросью, внизу пенились ручьи, лягушками плюхались в траншею подмытые комья глины. Векшина слышала за собой шум погони, подковки тяжелых мужских ботинок гремели по кафелю.

В тамбуре от Родыгина шарахнулись курильщики. В углу тоненький голосок сказал:

— Вода кончилась.

Это был тот мальчик, что пошел за водой для Векшиной.

— Кипяченая, — пояснил он. — В бачке.

Родыгин шагнул сквозь него и замер в дверном проеме.

Векшина стояла в трех шагах, на краю крыльца. Казалось, она добежала до края нависшей над морем прибрежной скалы и готова кинуться в воду, как нимфа, лишь бы не достаться преследующему ее сатиру. Дождь сек запрокинутое в бесконечном отчаянии, мокрое не только от него личико.

— На, возьми, — шепотом, чтобы не спугнуть ее, проговорил Родыгин, осторожно вытягивая перед собой руку с туфелькой на ладони.

Векшина обернулась, и он компанейски, как ему думалось, подмигнул ей. Она с ужасом посмотрела на его перекосившееся лицо с жутко зажмуренным глазом и метнулась со скалы вниз.

Родыгин прыгнул за ней, холодные струи потекли за ворот. С разбега он перемахнул через траншею, едва не съехав на дно по осклизлой глине, выскочил на газон, и ознобом охватило предчувствие непоправимого — на светофоре горел красный свет, а Векшина со всех ног приближалась к проезжей части. Перед ней, разбрызгивая лужи, сплошным потоком неслись автомобили.

С другой стороны улицы, прячась под навесом киоска, Надежда Степановна увидела Векшину и с воплем: "Стой! Стой!" — помчалась навстречу. Туфли, чулки, легкий плащ, а под ним платье на спине и на плечах вымокли мгновенно, лишь у поясницы сохранялся тонкий слой тепла.

Горная река бурлила, свиваясь в косички вдоль кромки тротуара. Надежда Степановна ступила на мостовую, вокруг завизжали тормоза, время исчезло. Было такое чувство, будто она всю жизнь бежит под этим дождем.

Внезапно сбоку ее что-то сильно ударило, заструился перед глазами необычайно яркий, но теплый и мягкий свет, и уже в шуме листвы, а не дождя, выплыл из тумана знакомый двухэтажный дом со стеклянными горбами на крыше. Хризантемы росли как раз над потолком ее комнатки, которую она сейчас видела так ясно и с такими подробностями, словно прожила в ней много лет. Узкая кровать, застланная розовым или бежевым, как в поездах, покрывалом, столик с кружевной салфеткой, к стене веером прикноплены присланные бывшими учениками поздравительные открытки с розочками и медвежатами. Колокольчик зовет на ужин. Хлопают двери соседних комнат, слышатся неспешные шаги, тихий смех. Она втыкает несколько шпилек в узел седых волос на затылке и спускается в столовую по деревянной лестнице с добела выскобленными ступенями. Ужин — это радость встречи. Тепло от овсяной каши на деревенском молоке, от горячего чая с вареньем, но еще и от того, что все разговоры здесь — о детях, каждый вечер о детях, всегда о них, как в учительской настоящей школы, где до сих пор так и не довелось поработать. Обитель праведников, островок уюта и любви, райский уголок, расширенный садом, что покойно и радостно плещется за окном.

— Куда лезешь, дура! Жить надоело? — орал мужик в кожаной кепке, выскочив из своих "жигулей".

Надежда Степановна стояла, нагнувшись вперед, упершись обеими руками в радиатор, но при этом ухитрилась не выпустить из рук оба кулька с черемухой. Каким-то чудом ягоды остались в кульках, лишь десяток черных шариков скатился по капоту на асфальт.

Прихрамывая, Надежда Степановна двинулась дальше через улицу. Векшина куда-то исчезла, дождь лил, не ослабевая. Казалось, город из бездны вод медленно восходит к небу. Было ощущение полета, но пропало, едва где-то совсем близко, отталкивая землю вниз, снова погружая ее в пучину, ударила молния.

Надежда Степановна ступила на спасительный тротуар, а Родыгин еще бежал по газону, когда все вокруг озарилось белым, короткое страшное шипение пронизало воздух, пар повалил от травы, но ничего этого он уже не видел и не слышал. Еще раньше что-то тяжело и беззвучно прошло сквозь него и вонзилось в дрогнувшую землю, выбивая ее из-под ног.

Оглянувшись, Векшина успела заметить, как Родыгин, выхваченный из пелены дождя ослепительной вспышкой, всплеснул руками и рухнул на траву, а от него шмыгнули огненные язычки. Их быстро прибило дождем, они погасли, сердито шипя, но один язычок продержался дольше других. Он подобрался к Родыгину, затанцевал, закланялся и вдруг превратился в того человечка, который пять минут назад сидел у Векшиной в горле и дрыгал ножкой. Она его узнала, и он это понял, потому что сразу засуетился, побежал прочь, скрылся под кустами акации.

8

— Его убило! — закричал Филимонов, отшатываясь от окна.

Котова испугалась.

— Кого?

Филимонов не отвечал. Он трясся от обморочного ужаса и раскаяния и в окно не смотрел, страшась увидеть обугленный труп своей жертвы.

Котова выглянула на улицу и помчалась к телефону вызывать “скорую помощь”.

Из последних сил гром рокотнул над гастрономом, над школой и покатился дальше, к трубе, похожей на минарет Калян. Дождь перестал.

Надежда Степановна доковыляла до газона. Здесь, как свежее кострище, чернело неровное пятно выжженной травы, подернутое быстро тающим облачком пара. Какой-то мужчина лежал на границе черного и зеленого, над ним стояла насквозь мокрая Векшина. Она уже успела найти в траве свое сокровище и обтереть его подолом. Стеклянная туфелька была зажата в ее кулачке острым носком вниз, как кинжал.

— Его убило молнией, — сказала Векшина с таким убийственным спокойствием, что Надежде Степановне стало страшно.

Тучи раздвинулись, их края посветлели, и между ними заиграла радуга. Прямо перед собой Родыгин увидел ее крутой, трепещущий, семицветный мост. Радуга начиналась где-то за спиной, а другим концом упиралась точно в траншею. Это означало, что там зарыт горшок с золотом.

“Копают в правильном месте”, — подумал Родыгин.

Дома и кусты акации крутились вокруг него со скоростью семьдесят восемь оборотов в минуту. Он сразу узнал эту привычную скорость старых патефонных пластинок, на смену которым пришли долгоиграющие, рассчитанные на тридцать три оборота. Постепенно кружение замедлилось, раздался щелчок тумблера: стоп!

Он сел. Из радужного тумана проступило лицо Векшиной.

— Возьми, — сказал Родыгин и протянул ей пустую ладонь.

Отпрянув, Векшина бросилась к Надежде Степановне, обняла ее, влипла ей в живот всем своим тощеньким дрожащим тельцем. На вопросы о том, что случилось, где ее пальто, она не отвечала, лишь прижималась все крепче. Висевший у нее на шее ключик врезался Надежде Степановне в бедро. Поверх пахнущей сушеными грибами детской головенки она увидела, как сидевший на газоне мужчина встал, пьяно пошатываясь, и направляется к ним.

Она узнала Родыгина.

— Господи! Что с вами?

— Меня, кажется, контузило. Молнией.

В следующий момент на них вынесло Котову, кричавшую, что сейчас приедут, она вызвала, спецбригада уже в пути, пусть кто-нибудь выйдет на угол, покажет дорогу.

— Не нужно, — остановил ее Родыгин.

Подошел Владимир Львович. За ним бежали ребята, впереди всех — Филимонов. Рот его был открыт в беззвучном вопле.

Когда он добежал, Векшина отпихнула его локтем. Она ни с кем не хотела делить Надежду Степановну.

— Ой, Надежда Степановна! — вдохновенно кляузничала соседка Векшиной. — Он нам такое говорил, вы не поверите! Рассказывал, как детям ноги отрезают и что всех будут сажать в тюрьму. Вместе с женами.

— Подожди, подожди. Кого будут сажать?

— Всех, которые это... Ну, как папа у Векшиной. И гонять пешком по тридцать километров.

— Тоже с женами?

— Нет, с милиционерами на мотоциклах.

— Так в Турции наказывают пьяных водителей, — объяснил Родыгин. — А с женами это в Сингапуре.

— Он еще страшнее говорил, да! — звенел в проясневшем воздухе хитрый детский голосок. — Что за границей им сразу голову отрубают.

— Вжик, вжик, — подтвердил кто-то, — и уноси готовенького.

— Филимонова! — уточнил другой.

— Потому что у него плохой глазомер, — дополнил третий. — Такие долго не живут.

— Поэтому, — с женской проницательностью подвела итог не по годам взрослая Вера, — его и тошнило.

Надежда Степановна вопросительно взглянула на Родыгина.

Тот молчал.

— А что у вас в кульках? — спросил Филимонов.

Лишь теперь Надежда Степановна вспомнила про черемуху. Ягоды еле держались в раскисшей под дождем газете.

— Это черемуха. Ешьте, ребята!

Когда все столпились вокруг нее, послышался высокий прерывистый сигнал "скорой помощи", белый "уазик" на бешеной скорости вылетел из-за угла, прошел под красным светом, преодолел бровку тротуара и, переваливаясь, выехал на газон. Из задних дверей выпрыгнули двое мужчин, из кабины — женщина, все в белых халатах. Котова указала им пальцем на Родыгина.

— Вот он!

— Всё нормально, — сказал Родыгин, коротко доложив, как было дело.

Один из врачей присел, провел ладонью по пепелищу, долго рассматривал почерневшие пальцы, затем ополоснул их в луже, похлопал Родыгина по плечу и залез обратно в машину.

Спецбригада уехала, Котова ушла, Родыгин издали смотрел, как Надежда Степановна из рук кормит черемухой свою галдящую стаю.

Филимонов хватал горстями, Векшина клевала по ягодке. Владимир Львович присоединился к их пиршеству.

— Помните чучело того крокодила в музее? — спросил он у Надежды Степановны.

— Помню, — приятно удивилась она тому, что в один день на них нахлынули одни и те же воспоминания.

Владимир Львович указал глазами на Родыгина.

— По-моему, очень похож.

— Чем?

— Тоже экспонат. Ничего, скоро их власть кончится. Помяните мое слово.

Надежда Степановна смолчала, а Родыгин не услышал. В это время к нему сунулся мальчик, все знающий про хлебное дерево.

— Вы обещали после урока ответить на мой вопрос, — напомнил он.

— Отстань, — попросил Родыгин.

Болела голова, ныло ушибленное плечо, ступни покалывало, словно сквозь микропоровые подметки с подковками в них стреляло растворенное в почве небесное электричество. При этом он не мог отделаться от чувства, что никакой молнии не было, а пепельно-черное пятно под ногами выжжено жаром его души — непонятой, оболганной, запертой в старом зябнущем теле.

— Идите к нам, — пригласила Надежда Степановна.

Родыгин пожал плечами и остался на месте.

Она позвала еще раз, лишь тогда он подошел, взял из кулька несколько ягод. Забытый терпкий вкус растекся по нёбу, слезами встал в горле.

— Вы нам всё очень интересно рассказывали, — сказал ему веселый мальчик, большую часть беседы просидевший под столом, и с пулеметным звуком выплюнул косточки.

2001

Бабочка

1 Собрались вчетвером: Рогов, жена Рогова, Галькевич и Пол Драйден, их ровесник, но уже профессор одного из университетов Плющевой Лиги. С утра его повезли в Ново-Иерусалимский монастырь, там пробежались по музею, потом Пол Драйден с женой Рогова гуляли по крепостной стене, а Рогов с Галькевичем остались внизу, ходили туда-сюда вдоль аркад с заросшими пожухлой сентябрьской травой пушечными бойницами, из которых никто никогда не стрелял, и продолжали выяснять, кто как относится к патриарху Никону, построившему этот монастырь. Еврей Галькевич недавно крестился и теперь утверждал, что Никон своими реформами оторвал церковь от глубинных основ народной жизни. Некрещеный Рогов патриарха защищал. Сцепились они еще в электричке. Каждый хотел обозначить перед Полом Драйденом свою общественную позицию, не унижаясь при

этом до пошлого спора о политике. У них в компании было заведено, что первый, кто произнесет в разговоре имя Ельцина, должен выложить рубль, Сталин и Троцкий шли по полтиннику.

Наконец, Пол Драйден с женой Рогова слезли со стены, и Галькевич повел всех к протекавшей за монастырем речушке, которую Никон, воздвигая здесь Новый Иерусалим, переименовал в Иордан. На берегу сидели две старушки в комбинациях, застиранных до последней смертельной линялости. Было начало сентября, тепло, но купаться холодно, и они, видимо, лишь помыли ноги да еще набрали в банки иорданской воды.

Рогов раздеваться не пожелал, а Галькевич счел своим долгом войти в святую реку. Уже в плавках, обернувшись на покрытый строительными лесами купол реставрируемого собора, он перекрестился, мужественно залез в воду, стал плавать вдоль берега и окунаться с головой. Старушки смотрели на него с одобрением, одна попросила зачерпнуть банкой на середине, где чище. Галькевич радостно кинулся исполнять ее просьбу. Он счастлив был разделить с этими женщинами их наивную древнюю веру в целебность здешней воды. Течением несло ниточки водорослей, пришлось несколько раз черпать и выливать, черпать и выливать, добиваясь предельной чистоты.

Жена Рогова тоже разделась, но Рогову теперь не доставляло удовольствия видеть ее в купальнике, не как раньше, когда он зазывал на пляж приятелей, чтобы оценили, какая фигура у его жены. Она по-кошачьи попробовала ногой воду и села рядом с мужем на его куртке, сложив свой край вдвое, чтобы не застудиться на осенней земле. Пол Драйден спросил у нее, очень ли холодная вода. Она томно сказала, что ей сегодня купаться нельзя, хотя Рогов точно знал, что можно — ее дни должны были начаться не раньше вторника. Почему она так сказала, разбираться не хотелось, но тут был, вероятно, какой-то вызов ему, Рогову. Когда-то жена пыталась прибрать его к рукам, а сейчас он сам держал ее в кулаке, как бабочку, с каждым годом зажимая все крепче, чтобы зря не трепыхалась, не сбивала пыльцу с крылышек.

Пол Драйден подумал, что этот Иордан нравится ему не меньше, чем настоящий, который он видел в настоящем Иерусалиме, но и не больше. Он окунулся, переоделся в кустах, пихнул мокрые трусы в сумку и натянул джинсы на голое тело, как хиппи. Причесываясь, умиротворенно смотрел на чуть тронутые желтизной деревья, на белые стены и башни монастыря, тонущие в бледном северном небе ранней осени. Рядом на одной ноге скакал Галькевич, вытряхивая воду из ушей, и вяло доругивался с Роговым насчет Никона. Полу Драйдену было наплевать на их общественные позиции, а сам предмет спора интересовал постольку, поскольку мог подвести разговор к героям его собственных штудий — Петру Великому, Карлу XII и, главное, царевичу Алексею. Он считал, что на несчастного царевича, умершего под пытками, презираемого современниками и потомками, давно пора взглянуть по-иному. Проведенные в венском архиве два летних месяца давали серьезные основания для критики прежних, устаревших и легковесных концепций.

После купания отправились на станцию, опять сели в электричку и поехали к Роговым. Теща Рогова, дежурившая при четырехлетнем внуке, тут же попрощалась и ушла, не желая лишний раз ссориться с зятем и огорчать дочь, но Рогов, разумеется, не оценил ее деликатность. Он шумно радовался уходу тещи, которая сослалась на якобы имевшиеся у нее неотложные дела. Жена вынуждена была объяснить ему, что на самом деле никаких дел нет, есть врожденное чувство такта.

Пока мужчины курили на балконе, она резала в кухне помидоры для салата и беседовала с сыном на животрепещущую тему — о детском садике, куда ему вскоре предстояло пойти. Сегодня они с бабушкой были там на рекогносцировке, осмотрели столовую, спальню, туалет и качели на площадке. Жена Рогова спрашивала сына, всё ли он понял о своей будущей жизни. Сын уныло отвечал, что всё. А видел он, что дети там сами одеваются и раздеваются? Да, он видел. И сами застегивают пуговицы, он понял?

— Я только одно не могу понять, — сказал сын и замолчал, потому что в кухню вошел Пол Драйден, попросил повесить где-нибудь его купальные трусы, чтобы просохли.

Жена Рогова закинула их на веревку и спросила:

— Что ты не понял?

— Вот когда в садике на третье бывает компот из сухофруктов, — сказал сын, — куда дети выбрасывают косточки?

Лицо его было серьезно, все остальное он понял. Она почувствовала, как к глазам подступают слезы, и задохнулась от ненависти к мужу: Рогов требовал отдать ребенка в садик. Тот, видите ли, мешает ему работать дома!

Она встала пред сыном на колени и сказала:

— Прости меня, малыш!

Он удивился. Что ли, она тоже не знает, куда нужно выбрасывать эти косточки?

— Спроси у отца, — посоветовала она, — отец все знает.

Сын ошарашенно сполз с табуретки и поплелся в комнату, где Пол Драйден, подбираясь к царевичу Алексею, уже вывел разговор на Карла XII.

Он был женат на американке шведского происхождения, но из финских шведов, поэтому, кроме основных европейских языков, включая, естественно, русский, выучил шведский, чтобы общаться с родственниками жены, и немного финский, чтобы при случае поговорить с соседями родственников, тогда как Рогов с Галькевичем едва могли читать по-английски. Оба никогда не бывали за границей, а Пол Драйден в Стокгольме изучал донесения шведских послов Карлу XII и пришел к выводу, что, начиная войну с Петром, король ставил целью вестернизацию России.

Галькевич сказал:

— Вестернизация, читай колонизация.

Рогов, как всегда, с ним заспорил и вспомнил исторический анекдот, опровергающий как раз ту самую идею, которую он этим анекдотом собирался проиллюстрировать.

— Однажды, — рассказывал Рогов, — Карл с войском преследовал врага не то в Польше, не то на Украине или в Лифляндии, не важно, и у шведов кончились запасы продовольствия, пришлось прекратить погоню. Тогда у всех на виду король пал с коня на землю, в бешенстве стал рвать траву, клоками заталкивать ее себе в рот и жевать. Генералы тоже спешились, подбегают к нему. Ну, скажем, те, про которых у Пушкина. Как там? "Уходит Розен сквозь теснины, сдается пылкий Шлиппенбах..." Этот Розен, значит, с пылким Шлиппенбахом подбежали, спрашивают: "Что с вами, ваше величество?" А он только мычит. Наконец, отплевался и заплакал. "О, — говорит, — если бы я мог научить моих солдат питаться травой! Я был бы властелином мира!"

Галькевич злорадно засмеялся.

— Вот видишь? Викинг, берсеркер, какая уж там вестернизация! Чему он мог нас научить с такими-то идеями?

Рогов сообразил, что рассказал что-то не то. Он взял с тарелки пучок салата, сунул в рот, стал давиться и раздувать щеки, изображая бешеного шведского короля. Жена, вошедшая в комнату вслед за сыном, подумала с ненавистью: шут, шут, шут!

— Твой сын, — сообщила она, — хочет тебя кое о чем спросить.

Сын уже чувствовал, что нечаянно угодил в какую-то важную точку. Он выступил вперед и звонким голосом объявил свои сомнения относительно косточек из компота.

Рогов нежно притянул его к себе и начал объяснять, что дети собирают эти косточки в большую коробку, а весной сажают их в землю. Когда сын вырастет, зашумит во дворе фруктовый сад — абрикосы, персики, вишни, черешни.

— Перестань паясничать! — сказала ему жена.

Галькевич ухмыльнулся.

— Чему, собственно, ты удивляешься? Это вполне в духе твоего мужа. Он же оправдывает тех, кто поливал землю кровью, чтобы вырастить райский сад из косточек от компота.

Она сказала Галькевичу:

— Прекрати!

Пол Драйден молчал, он пытался вытащить забившуюся под диван собаку Зюзю. У нее была течка, теща Рогова натянула на нее старые трусики внука, чтобы не испачкала ковер. Зюзе казалось, видимо, что в трусах она выглядит совершенно непристойно. Пол Драйден тянул ее к себе за передние лапы, она упиралась и скулила.

— Оставьте ее в покое, — попросила жена Рогова.

Она принесла салат, еще что-то. Сели за стол, где уже стояла купленная Полом Драйденом за валюту бутылка водки. Рогов разливал, Галькевич произносил тосты — за гостя, за хозяйку, за науку. Дело пошло. Рогов вспомнил другого американского слависта из другого университета, не входившего в Плющевую Лигу. Они познакомились на международной конференции лет пять назад, и хотя говорили главным образом о Челобитном приказе при Иване Грозном, его, Рогова, потом приглашали на беседу в известное учреждение.

Пол Драйден сказал, что правильно сделали — этот их коллега, они знакомы, в Москве меньше всего занимался Челобитным приказом — он является агентом учреждения, аналогичного тому, куда приглашали Рогова. Недавно, например, издал сборник анекдотов о Советской армии.

Рогов, заранее улыбаясь, спросил:

— А есть там такой анекдот?

Рассказать не удалось. Пол Драйден сказал, что подобными вещами не занимается, он все лето просидел в венском архиве, изучал документы о побеге царевича Алексея в Вену в 1716 году и пришел к выводу, что царевич был вовсе не консерватором, тем более не православным фундаменталистом, как почему-то принято считать, а либералом и тайным католиком. Необходимость перемен он понимал не хуже Петра, просто в своих реформаторских замыслах думал опереться не только на западную технику, как его отец, но на сам дух Запада. К несчастью, здесь, в России, этого видеть не желают. На прошлой неделе он, Пол Драйден, выступал в институте с докладом, и один профессор, написавший о Петровской эпохе три монографии, заявил: “Пил ваш царевич, извините, как сапожник”. Пол ответил ему: “Вы, уважаемый коллега, может быть, не знаете, но Черчилль во время войны каждый день выпивал по бутылке коньяка, и англичане не жаловались, что ими плохо управляют”.

Водка кончилась. Галькевич вышел в коридор, пошарил в сумке и вернулся с чекушкой.

— Убери немедленно! — велела жена Рогова.

Галькевич напомнил ей, что в войну Черчилль ежедневно выпивал по бутылке коньяка, а сейчас мир. Пол Драйден молча взял чекушку и разлил на троих. Жена Рогова обреченно пошла на кухню жарить картошку.

Рогов сказал ей вслед:

— Уходит Розен сквозь теснины.

Начало темнеть. Дул ветер, тополя за окнами тревожно шумели усыхающей осенней листвой.

Пол Драйден хотел продолжить разговор о царевиче Алексее, но Рогов, задумчиво пощелкивая ногтем то по чекушке, то по бутылке и сравнивая, как настройщик, тембр звука, сказал, что вспомнил сейчас одну историю, которая с ним приключилась в юности. Он тогда окончил университет и поступил в аспирантуру, но вообще-то такое могло бы случиться с любым пьющим русским интеллигентом, включая царевича Алексея, так что Полу Драйдену полезно будет послушать.

Началось с того, что Рогов поехал на родину хоронить свою деревенскую бабку по матери. Бабка жила в одной деревне, а мать — в другой, километров за пятнадцать, и в то время сильно болела, пришлось отправиться на похороны без нее. Прочая родня собралась, бабку похоронили, помянули, а после поминок, когда стали делить наследство, Рогову каким-то образом досталась бабкина коза. Он хотел сразу же ее кому-нибудь сбагрить, но родственники, разбирая пожитки покойной, говорили, что берут всё это на память о ней. Отделываться от козы стало совестно, Рогов повязал ей на рога веревку, и вдвоем тронулись в обратный путь, к матери. Вышли уже под вечер, смеркалось. Была зима, внезапно налетела вьюга, они шли через поле, и дорогу перемело. Рогов решил ночевать в сугробе. После поминок хмель еще не весь выдуло, он притулился под боком у козы, намотал на руку веревку, сверху нагреб снегу и уснул. Было не то чтобы жарко, но вполне терпимо, лишь к утру замерз, и коза тоже как-то охолодала. Утром они вылезли из сугроба и побрели дальше. Вскоре дошагали до большого села, лежавшего примерно на полпути между той деревней, где жила мать, и бабкиной. Идти оставалось не так уж долго, погода исправилась, но тут Рогову невыносимо захотелось выпить. А денег с собой — ни копейки, первая жена перед дорогой все выскребла, не оставив даже на обратный билет. Мол, там, на родине, ему не дадут пропасть. Тогда Рогов снова склонился к крамольной мысли продать козу. Он начал останавливать прохожих, стучался во дворы, но желающих не находилось. В конце концов один местный куркуль согласился купить бабкину деревянную скотинку за три рубля. Больше, сволочь, не давал, говорил, что и того много. Дескать, и так берет грех на душу — коза-то, видать, краденая. Рогов плюнул, отдал ему козу, взял трояк и полетел в магазин. Он еще раньше заглядывал туда и отметил, что чекушки там есть, можно, значит, обойтись и трешкой. В магазине стояла очередь, мужики брали по две, по три бутылки каждый, по-богатырски. Рогову неловко было покупать одну жалкую чекушку. Вроде интеллигент. Хотя никто его ни о чем не спрашивал, он, заранее оправдываясь, начал объяснять соседям в очереди, что, мол, собирается взять чекушку, но не пить, а дочке на компресс, дочка простыла. Такой вариант казался ему предпочтительнее. Трезвенников народ уважает, малопьющих — нет. Он уже приближался к прилавку, как вдруг стоявшая неподалеку старушка таинственно поманила его пальцем и шепнула, чтобы дал ей свои три рубля, не пожалеет. Рогов решил, что на эти деньги она вынесет самогону, и согласился. Старушка ушла, через десять минут вернулась, но не с бутылкой и не с банкой, а с маленькой баночкой из-под майонеза. Баночка была наполнена желтой густой мазью, не то жиром. Она велела растирать дочке спину и грудь и исчезла, растаяла в воздухе, как фея. Окаменевший от горя Рогов остался при этой скляночке. В ярости он хотел шарахнуть ее о стену, но все-таки передумал, сунул в карман, и, как оказалось, не напрасно.

Если до этого момента история еще сохраняла видимость правдоподобия, то дальше все подергивалось мистическим туманом. Куда-то Рогов затем шел или ехал в автобусе, попадал в чей-то дом, где болел единственный ребенок, угасал, никакие лекарства не помогали. Врачи уже признали свое бессилие, но Рогов растер девочку мазью, после чего она впервые за много дней спокойно уснула, а через пару часов проснулась и попросила кушать. Счастливые родители устроили для Рогова застолье. Он пил, ел, веселился, потом вдруг уронил голову на стол и заплакал, потому что стыдно было перед бабкой, что продал ее любимую козу, и перед козой, которая в буран согревала его своим телом, а он продал ее за три рубля. Хозяева переполошились: что с ним? Рогов рассказал, тогда хозяин встал, шубу надел, говорит: "Пошли!" Они пошли, разыскали того куркуля и потребовали вернуть козу. Хитрый куркуль заломил за нее двести рублей и не уступал ни копейки. Рогов готов был отдать ему часы, шапку, мохеровый шарф, но отец девочки сказал: "Не надо!" На радостях он не постоял за деньгами. Козу выкупили за две сотни, она еще много лет прожила у матери и до самой смерти доилась как корова.

Рогов умолк, и Галькевич ощутил очередной приступ давно знакомой, болезненно-привычной зависти к нему. Тот мог продать козу за три рубля и выкупить за двести, а сам Галькевич в этой ситуации не обошелся бы и миллионом. В рассказанной истории он видел скрытый смысл, предвестье еще не осознанного самим Роговым духовного кризиса. Коза была символом истины, завещанной ему предками, но забытой, проданной, преданной и возвращенной через раскаяние и покаяние.

Пол Драйден знал, что московский разговор за бутылкой подобен кругу вселенной, чей центр везде, а окружность нигде, и все же не мог не удивиться, как легко и естественно от царевича Алексея скакнули к этой козе. Впрочем, зря ему казалось, что с той же легкостью можно будет вернуться к начальной теме. Едва прозвучало имя бедного царевича, как Галькевич сказал, что Петр был революционер, а дети революционеров — особая статья, тут мы невольно погружаемся в бездну патопсихологии.

Через минуту из этой бездны всплыла некая Жанна, дочь одного крупного большевика, знаменитого борца с религией. Галькевичу рассказывал про нее сосед, старый художник-пейзажист. Они с ней друзья юности, вместе учились. Ее отец всю жизнь сражался с религиозным мракобесием, а дочь назвал в честь орлеанской девственницы. Она была необыкновенно хороша собой — высокая, стройная, гибкая, с зелеными еврейскими глазами навыкате, такими выпуклыми и такими прозрачными, что если перед лампой посмотреть сбоку, видно, как светятся насквозь глазные яблоки. Но при этом страшная неряха. Однажды на вечеринке попросила пейзажиста подать платок из ее сумочки. Он раскрыл. Боже ты мой! Яблочные огрызки, крошки, грязная вата, гребень весь в головном сале. И всю-то жизнь у нее дома шашлыки жарили. Мясо очень любила. Один муж, второй, третий — метатель молота, четвертый. Хрущева сняли, внуки пошли, а шашлыки жарят и жарят. Но красавица изумительная, из тех, над кем время не властно. Ей уже за пятьдесят, и ничего — цветет, молодые люди в нее влюбляются.

Лет пятнадцать назад он, Галькевич, случайно, как бывает в юности, попал на маскарад в доме известного пианиста, который устраивал маскарады для избранных. Жанна там тоже была — вся обтянутая, в чем-то облегающем, черно-красном, каблучками стучит, как копытцами. Да-а... Галькевич замолчал, потому что опять поймал себя на двоемыслии. Патриарх Никон, Петр, отец Жанны и она сама, все эти люди с их западного толка демонизмом казались понятными, близкими, почти родными, он испытывал к ним преступную симпатию, в которой не признался бы никому, даже собственной жене, если она у него когда-нибудь появится, в чем Рогов уже начал сомневаться. Старуха в трико, с девичьей фигурой, зазывно улыбнулась и послала ему воздушный поцелуй.

Пол Драйден вежливо спросил:

— И что?

— А то, — сказал Рогов, — что по детям можно судить о родителях. Все революционеры обладают колоссальной жизненной энергией, но в старшем поколении биологические инстинкты были подавлены идеологией. Отсюда вывод: ох и сильна же была эта идея, раз сумела в таких людях подавить такие инстинкты!

Галькевич иронически сощурился: так-таки и подавила? В доказательство обратного были приведены примеры из жизни разных второстепенных вождей, связанных с его родным городом на Урале. Он не упускал случая нажать на свое провинциальное происхождение, ненавязчиво подчеркнуть, что не имеет отношения к тем евреям, которые после революции засели в Москве и оттуда рассылали по России отравленные стрелы.

Жена Рогова сказала мужу, что нечего напускать туману. Эта Жанна выросла такая, потому что ее в детстве хорошо кормили. Весной они с сыном ходили к невропатологу, и тот посоветовал: “Хотите, чтобы ваш ребенок вырос умный и здоровый, кормите его черной икрой”.

Она шикнула на сына, полезшего под диван обниматься с Зюзей, и ушла в кухню. Воспользовавшись ее отсутствием, Пол Драйден закурил. У него были основания полагать, что Рогов с Галькевичем, опекая его в Москве, надеются на приглашение прочесть лекцию или цикл лекций в университете Плющевой Лиги, но непонятно было, почему в таком случае эти почти сорокалетние мужчины ведут себя с ним как два студента, кокетничающие перед зрелой матроной в расчете умилить ее своей непосредственностью.

— О-о! — уважительно проговорил он, потому что в комнату вошла жена Рогова со сковородой в руке.

Сгребая на тарелки уютно скворчащую картошку, она сказала, что о революционерах можно судить не только по детям, по женам тоже. Когда она лежала в роддоме, там была одна врачиха, которая перед тем работала в гинекологии Четвертого медуправления. Она рассказывала: приходит к ней на прием бабуся, божий одуванчик. Оказалось, ветеран партии, вдова какого-то наркома. Его самого расстреляли в тридцать седьмом, а она сколько-то лет отсидела, но жива, лечится в “кремлевке”. Пришла и жалуется на гинекологические дела: болит там-то и там-то. Врачиха ей объясняет: “У вас при ваших годах в этом месте болеть уже ничего не может, у вас, наверное, болит где-то в другом месте, а туда отдает”. Бабуся уперлась: нет, болит там. Ну там, так там, с этой публикой не поспоришь. Послали ее на рентген, просветили, и действительно — опухоль. Похоже на кисту, но очень странная. Она говорит: режьте, не бойтесь, я живучая. Взяли с нее расписку, разрезали и достают из этой опухоли... Жена Рогова подержала артистическую паузу и сообщила:

— Золотое кольцо! Такое тоненькое золотое колечко старинной пробы. Кто догадается, как оно туда попало?

— Слишком глубоко спрятала при обыске, — сказал Пол Драйден.

Остальные промолчали, пришлось объяснять им, бестолковым, что в старину такие кольца применялись в качестве женского противозачаточного средства. Ну, как теперь спираль. Разумеется, порядочные женщины на это не шли, чаще всего к этому способу прибегали девицы в публичных домах для богатой публики. Значит, бабуся с той еще биографией. Вставили ей колечко, потом оно заросло мясом, как осколок, а она про него забыла. Обычно те, кто под конец жизни отличается живучестью, в молодости бывают легкомысленными.

Галькевич спросил, а не было ли у них такого обычая, чтобы, выходя замуж, то есть при обращении к честной жизни, использовать это кольцо как обручальное. В традициях, так сказать, декабристов, которые заказывали себе на память чугунные кольца из собственных кандалов. Не было?

— Ты всё отлично понимаешь, — разозлился Рогов, — не придуривайся!

— Что именно?

— Всё! Этот человек женился на падшей женщине, потому что был идеалист, верил в возможность переделать мир, изменить человеческую природу.

— Идеалистам нравятся сисястые и стервозные, — сказал Галькевич. — Или, по-твоему, это с его стороны была жертва, что женился на проститутке?

Рогов неуверенно ответил, что да, в какой-то степени — да, мир вообще держится на жертве.

Жена Рогова сказала:

— Пожалуйста, рубите меня на силос, если так можно поднять наше сельское хозяйство.

Она увидела, что сын, отпихивая Зюзю, выкарабкивается из-под дивана, присела и помогла ему. Он вылез оттуда в испачканных колготках, взволнованный, с горящими глазами. В ручонке у него победно трепыхался найденный под диваном ветхий, легкий от старости и пушистый от пыли бумажный рубль.

— М-мама, — говорил он, заикаясь от возбуждения, — смотри, что я нашел! Т-теперь тебе не нужно ходить на работу и зарабатывать деньги.

Она поняла, что сын радуется за них обоих, ведь и ему, если мать будет сидеть дома, не придется ходить в детский садик. Ей захотелось ударить Рогова, который ничего не понял и заржал, идиот.

Крепко прижав к себе мальчика, она сказала выцветшим голосом:

— У нас одна комната, ребенку пора спать.

2

Через десять минут Рогов с Зюзей на поводке, Галькевич и Пол Драйден вышли из подъезда во двор. Луна уже поднялась высоко, тени деревьев лежали на земле плотные, бездонно-черные, как на юге. Воздух тоже был южный, теплый и тревожный.

Где-то за домами невидимый трамвай сыпанул голубыми искрами. Со звуком, напоминающим шелест оседающей в кружках пивной пены, проносились машины по соседней улице. Роговы жили на окраине, но за их окраиной простиралась другая, еще печальнее. Там среди замусоренных перелесков, строительных котлованов, пустырей, кладбищ, свалок и бетонных заборов, ограждавших расположение воинских частей, под сенью чахлых сосен с передавленными корнями иссякали автобусные маршруты, дальше начиналась засаженная картошкой ничейная территория в вечной войне между Москвой и Россией.

Рогов отстегнул поводок, теперь Зюзя бежала в стороне. Время от времени она замирала и нюхала землю. Трусы с нее сняли еще дома.

Он полез в пиджак за сигаретами и без особого удивления нащупал в кармане рюмку. Каждый день, одеваясь, а иногда уже потом, на улице или в институте, он обнаруживал в одном из карманов то пластмассового солдатика, то пупсика, то ложечку со следами утреннего яйца всмятку или еще что-нибудь такое же маленькое, уютное, домашнее. Сын украдкой засовывал ему эти вещички, чтобы в той жизни, куда уходит отец, напомнить о себе.

Шли к автобусной остановке. Страшноватая ночная жизнь клубилась у подъездов и в беседке за проволочной вольерой детского садика. Оттуда слышалась чья-то солидная ругань, и сопровождавший ее возбужденный женский смех звучал как обещание награды всем тем, кто сегодня выйдет из тьмы, чтобы взять свое.

Бесшумная тень скользнула вдоль стены, двое восточных людей пронесли что-то длинное, завернутое в простыню, похожее на труп. Рогов уже пожалел, что вызвался проводить гостей до остановки. Одинокий обратный путь казался пугающе долгим, а в последнее время он старался не возвращаться поздно домой. Даже гулять с Зюзей выходил пораньше, до темноты. Былая легкость жизни исчезла, зря Галькевич ему завидовал.

Навстречу попался человек с лицом убийцы. В кустах кошки кричали голосами его будущих жертв. Рогов подумал, что Москва становится похожа на тот город, о котором читали с сыном в сказке про Синдбада-морехода. При солнечном свете этим городом владели люди, но с наступлением темноты их власть кончалась, они толпами бежали к морю и проводили ночь в лодках, отчалив подальше от берега. На смену им с окрестных гор спускались орды обезьян, чтобы сидеть в кофейнях, торговать на базаре, гулять по улицам, убивая тех, кто остался в городе, а с рассветом вновь уйти в горы и на следующий вечер опять вернуться.

Был сентябрь, с каждой неделей островок дневного света становился всё меньше, всё незаметнее в океане тьмы. Рогов бережно поглаживал в кармане свое стеклянное сокровище. Креста он не носил, но эта рюмка могла уберечь его от всех опасностей на пути от автобусной остановки до дома.

Двор тонул во мраке, шумели деревья. Скоро пожелтеет и облетит листва, тогда сквозь голые ветви издалека видно будет, как в третьем этаже светятся по вечерам два окна его однокомнатной квартиры.

Там жена Рогова уложила сына, но тот никак не засыпал: то пить, то писать, то спой песенку. Наконец, она рассердилась и пошла мыть посуду. Сын заплакал. Она хотела выдержать характер, но, конечно, не выдержала, вернулась.

Он сказал:

— Мама, посиди со мной, мне страшно.

— Чего ты боишься? — спросила она.

Сын заученно сослался на привидения, на каких-то фольклорных персонажей, но чувствовалось, что дело не в них. Это были всего лишь условные знаки чего-то иного, невыразимого, не имеющего ни формы, ни имени. Левая занавеска неприятно шевелилась от сквозняка, будто за ней кто-то есть.

Чтобы обездвижить ее, жена Рогова прикрыла форточку, включила настольную лампу, пообещала зажечь свет в коридоре и являться по первому зову, после чего сын, страдальчески вздохнув, согласился засыпать один. Ее поцелуй остался у него на лбу, как охранная печать.

По дороге из комнаты в кухню она машинально проверила, заперта ли входная дверь, так же машинально глянула в дверной глазок. Это вошло в привычку с тех пор, как на площадке повадился перед сном курить сосед, которому жена запрещала дымить дома. Приходилось его гонять, потому что по воздушной трубе весь дым затягивало в тщательно проветриваемую на ночь квартиру Роговых. Сейчас дымом не пахло, но на площадке кто-то был, глазок заслонен чем-то живым, темным, шевелящимся.

Она подумала, что вернулся Рогов, хотела открыть, прежде чем он откроет своим ключом, как вдруг сообразила, что не слышит ни звяканья поводка, ни привычного повизгиванья Зюзи. За дверью стояла мертвая тишина.

Она прислонилась к стене, ожидая звонка, но его не было. Опять припала к глазку, и от страха ноги стали ватными. Тот человек тоже вплотную привалился к двери с другой стороны, теперь она явственно слышала его дыхание, почти сопение, словно запыхался после бега или пьяный.

Что он здесь делает? Подстерегает Рогова?

Набравшись решимости, она хрипло спросила:

— Кто там?

Тишина.

Спросила еще раз и бросилась к телефону, лихорадочно соображая, кого позвать на помощь. Друзья находились вне пределов досягаемости, ближайший мог быть здесь не раньше, чем минут через сорок. Оставались соседи. На площадке было три квартиры, не считая их собственной. В одной жила древняя старуха, не выходившая из дому, раз в неделю к ней приезжала дочь и привозила продукты. В другой квартире нет телефона, в третьей есть, но она его не знала, как не знала фамилию жильцов, чтобы спросить по справочной. С остальными соседями по подъезду они с Роговым отношений не поддерживали. Можно позвонить в милицию, но что говорить? Соврать, что ломятся в дверь? Так пока еще приедут.

Она сняла трубку, но колебалась, левой рукой придерживая рычажок, который неожиданно звякнул и затрепетал под пальцами. Она судорожно отдернула руку. В трубке незнакомый мужской голос попросил Рогова.

— А кто его спрашивает?

Отвечено было что-то невразумительное.

Она сказала:

— Минуточку!

С аппаратом в руке, волоча по полу шнур, перешла из комнаты в прихожую и громко, с расчетом на того, стоящего за дверью, сказала:

— Муж вышел погулять с товарищами. Они вот-вот вернутся, все трое. Товарищи будут ночевать у нас, я одолжила у соседей раскладушку.

На том конце провода повесили трубку.

Лишь тогда шевельнулось подозрение, что этот звонок и человек на площадке как-то связаны между собой. Голос в трубке был странно близкий, объемный, словно звонили из автомата за углом. Значит, их тут двое?

Может быть, это все из-за Пола Драйдена? Что, если у себя в Америке он тоже состоит на службе в учреждении, аналогичном тому, куда вызывали Рогова?

Не так уж страшно по нынешним временам.

Немного успокоившись, она понесла телефон обратно в комнату. Сын уже спал. Он всегда засыпал и просыпался мгновенно. Оба мира, в которых все обитали, сон и явь, игра и жизнь, будущее и прошлое, в ней самой давно разведенные, для него еще лежали рядом. Ему не стоило ни малейших усилий шагнуть из одного в другой.

Когда ставила телефон на столик, послышалось, что тот, за дверью, ковыряется в замке. Сердце ухнуло, на ослабевших ногах она метнулась в прихожую.

Нет, все тихо.

Приложила ухо к двери, снова приникла к глазку и вдруг поняла, что человек на площадке сделал то же самое. Два глаза, разделенные выпуклым снаружи крошечным стеклышком, смотрели друг в друга. Она различала даже помаргивание, напряженное подрагивание прижатого к стеклу века. Кто-то разглядывал ее в упор, а она, хотя и знала, что оттуда, с площадки, внутри квартиры ничего увидеть нельзя, почувствовала, как кровь стынет в жилах и мерзкий холодок проходит по корням волос. Разумные соображения сейчас не действовали. Не верилось, что оптика способна защитить ее от этого взгляда. Сам бессмысленный ужас жизни остановил на ней свой неподвижный звериный зрачок.

З

В домах гасли огни, лишь окна подъездов синими от ламп дневного света, переборчатыми колодцами стояли в темноте.

Рогов, Галькевич и Пол Драйден свернули за угол. Галькевич вспомнил, как пару лет назад выпивали у Роговых и тоже вечером шли к остановке. Тоже была осень, но поздняя, дождик, слякоть. На мокром газоне сидела пьяная женщина в резиновых сапогах, в сбившемся платке, расхристанная, немолодая и некрасивая, и Марик сказал про нее: русская Венера.

Явилось желание немедленно рассказать Рогову и Полу Драйдену про Марика, что Марик, сволочь, так сказал. Лишний раз напомнить им, что он, Галькевич, не такой, но, слава Богу, сдержался. Если ты другой, не суетись, не доказывай, иначе получится, что такой же. Никому ничего нельзя доказать, если боишься, а он знал, что в нем живет страх перед этой прекрасной, печальной и жутковатой страной, которая была его родиной.

Свернули за угол, и Пол Драйден внезапно понял, почему в течение всего вечера было чувство, будто фигура царевича Алексея утрачивает ясность очертаний — она не просто расплывалась, а словно растягивалась между Роговым и Галькевичем, принимая образ то одного, то другого, но в любом случае теряла привычное сходство с ним самим, Полом Драйденом. Сам он мальчиком тоже боялся и ненавидел отца — вечно пьяного, громогласного, с огромным плоским телом бывшего баскетболиста, и со студенческих лет сочувствовал Карлу XII: тот пошел войной на пучеглазого царя, чтобы отомстить за его, Пола, детский страх, отроческие унижения.

— Пожалуйста, — попросил он, — подождите меня.

Отошел к кустам, расстегнул молнию на джинсах. Рогов и Галькевич остановились. Под струей зашелестела иссохшая трава. Пол Драйден виноватым голосом сказал Рогову:

— Я забыл у вас мои трусы, они висят в кухне на веревке.

— Что, — уныло спросил Галькевич, — будем возвращаться?

Пол Драйден промолчал. Ему неловко было настаивать, а Рогову — показывать, насколько он рад неожиданной возможности проделать обратный путь втроем. Снова провожать их он, конечно же, не пойдет.

— Пошли домой, — объявил Рогов.

При этом слове хитрая Зюзя отбежала в сторону, понимая, что ее сейчас возьмут на поводок, приведут в квартиру и там опять наденут ненавистные трусы.

Все сильнее дул ветер, хлопало на балконах белье.

Рогов закричал:

— Зюзя, Зюзя, ко мне!

Та делала вид, будто не слышит.

Он сказал:

— Пойдемте, сама прибежит.

В это время жена Рогова увидела, как человек за дверью подмигнул ей. Веко дернулось, опустилось и поднялось, ресницами скользя по стеклу дверного глазка. Она отскочила к стене, поясницу прошибло потом. Он подмигивал ей так, словно знал, что сегодня она весь вечер ненавидела мужа, и теперь сообщал: сигнал принят, будем действовать. Малодушно захотелось разбудить сына, выйти на площадку с ребенком на руках, заслониться им от этого кошмара, и еще больше перепугалась оттого, что возникают такие мысли. Стояла и тоненько подвывала от безнадежности.

Не так уж и поздно, а на лестнице почему-то не слыхать никого из соседей. Ни шагов, ни голосов, окликнуть некого. Ни одна дверь не хлопнет.

Она посмотрела на часы: без четверти одиннадцать. Была половина, когда Рогов пошел провожать гостей, значит, появится минут через пять, ну через десять или пятнадцать, если автобуса долго не будет. Он ведь такой, ни за что не уйдет, пока не посадит их в автобус и не помашет рукой.

Страшно было за мужа, что его здесь кто-то караулит, но едва ли не страшнее казалось увидеть лицо человека за дверью. Так бывает во сне: замечаешь кого-то рядом с собой, пытаешься понять, кто это, чего он хочет, и не понимаешь. Душа томится на грани узнавания, не переступая ее в последнем усилии, потому что в самой загадке — тьма, вариант смерти, а в разгадке — ужас продолжения жизни с тем, что можешь узнать про себя.

Мысли начали разбегаться и путаться, как при температуре. Она сказала себе: спокойно, дура, не паникуй, и выключила свет в коридоре и в кухне, чтобы глаза привыкли к темноте. Тогда у нее будет преимущество, если этот человек попробует высадить дверь и с освещенной площадки ворвется в темную квартиру. Дверь у них можно выбить ногой, еле держится. Она давно говорила Рогову, что надо укрепить ее или поставить железную, но он лишь смеялся. А когда призадумался, это удовольствие стало не по его зарплате.

За окном шумели и раскачивались деревья. Фонарь, горевший у подъезда, временами прорывался сквозь их бушующие кроны, синеватым туманом застилая стекло. Тени бежали по стенам, вжимались в углы. Нужно было что-то делать. Нарочно громко топая, она прошла в кухню, достала из ящика молоток, затем на цыпочках прокралась обратно в прихожую. Если тот человек подслушивает, пусть думает, что ее здесь нет. План был такой: едва послышатся на лестнице шаги Рогова, мгновенно отщелкнуть замок и выскочить ему на помощь.

Она снова включила свет в коридоре, чтобы не жмуриться, когда будет выбегать на площадку. Затаившись под дверью, прикидывала, каким концом изготовить молоток для удара — тупым или острым, как вдруг вспомнила, что окна выходят во двор, можно предупредить Рогова заранее, как только он подойдет к дому. Дура, дура, какая дура, Господи!

Метнулась в комнату, распахнула дверь лоджии. Все кругом заслоняли разросшиеся неухоженные тополя, листва еще не облетела. Она перевесилась через перила, не отрывая глаз от освещенного пятачка перед подъездом, и стала ждать.

Галькевич заметил ее первый.

Она крикнула:

— Эй, стойте!

Рогов узнал голос жены, но вначале почудилось, будто сам же мысленно произнес эти слова. Когда-то постоянно разговаривал с собой ее голосом, потом отвык.

Возле дома он немного приотстал, подманивая Зюзю, которая по-прежнему держалась на расстоянии, а Галькевич задрал голову и увидел жену Рогова. Она улыбалась от облегчения, что муж не один, пришли все втроем, поэтому Рогов, увидев ее на лоджии, ничуть не встревожился.

Он сказал:

— Пол забыл свои трусы, вернулись за трусами.

Жена улыбалась как-то странно и шепотом, словно осипла на ветру, говорила:

— Стойте, стойте!

— Может, кинешь с балкона, чтобы им не подниматься? — предложил Рогов.

— Подождите, — сказала она, — там кто-то стоит.

— Где?

— На площадке за дверью.

— Кто?

— Не знаю.

— И что делает?

Она растерялась и сказала:

— Ничего.

— Хорошо, я сейчас поднимусь.

Рогов направился к подъезду, она закричала:

— Стой!

Что-то прошуршало в листве и тяжело брякнулось на асфальт. Пол Драйден наклонился — перед ним лежал молоток. Он поднял его, оглянулся на Рогова с Галькевичем. Те ничего не успели сообразить, а он уже все понял, крепко сжал деревянную ручку и шагнул к подъезду.

Они двинулись было следом, но жена Рогова опять закричала сверху:

— Стойте! Тоже возьмите что-нибудь!

— Что? — спросил Рогов.

— Ну камень, палку, что-нибудь!

Галькевич заметался под окнами, ища, чем бы вооружиться, но Рогов раздраженно отмахнулся.

Жена взвыла:

— Бога ради, возьми что-нибудь!

Он замер.

— Там действительно кто-то стоит, — тихо сказала она. — Мне страшно.

Луна скрылась, ветром отхлестнуло ветви тополей перед фонарем. Свет упал на лицо жены, усталое, серое, немолодое. Лишь теперь он ей поверил, почувствовал, что не напрасно прожили вместе все эти годы, родили сына. Это ее страхом сжимало сердце десять минут назад, когда проходил мимо детского садика и поглаживал в кармане рюмку.

В груди спеклось, он повернулся к Полу Драйдену.

— Дайте-ка!

Тот помотал головой и молоток не отдал.

Зюзя крутилась у ног, вымаливая прощение. Рогов отпихнул ее, осмотрелся. В соседнем доме с весны тянулся капитальный ремонт, за песочницей грудой свалены ржавые водопроводные трубы. Он подбежал, схватил обрезок покороче.

Из зарослей под окнами вынырнул Галькевич и ринулся к подъезду. Пока шарил в кустах, заполошно хватая какие-то невесомые хворостины, осенило, что не так, не так человек с его родословной должен вести себя в минуту опасности. Безоружный, он рванулся к подъезду, но Пол Драйден успел придержать его на лету, вошли вдвоем. За ними ловко протырилась Зюзя.

Дом пятиэтажный, лифта нет, есть настенный щиток с механизмом, отщелкивающим запор на входной двери, если на десяти кнопках этого баяна правильно сыграешь трехзначный номер, но не работает. Вошли, ветер загудел, резонируя в почтовых ящиках, зашевелилась бахрома коврика перед ступенями.

Пол Драйден ступил на него с чувством, что дальше начинается хаос, где скрылся бедный царевич. Молоток успокаивающе отяжелил руку, другой рукой он сжимал локоть трепещущего от возбуждения Галькевича.

Дверь за ними захлопнулась, все стихло. Наверху тоже стояла какая-то ненатуральная тишина.

Пол Драйден хотел подождать Рогова, чтобы подниматься всем вместе, но Зюзя деловито затрусила по лестнице. Вырвавшись, Галькевич бросился за ней, обогнал ее, прыгая на своих длинных ногах через полпролета, вынесся на площадку третьего этажа.

Пусто. Перед квартирой Роговых никого нет.

Он прислушался.

Лязгнул замок, жена Рогова, не решаясь распахнуть дверь сразу, медленно тянула ее на себя и шепотом кричала из расширяющейся щели:

— Вы здесь? Вы здесь?

Галькевич даже не ухом, а кожей ощутил укромный отзвук ее слов, ее дыхания. Он услышал, как над головой у него кто-то крадется вверх, бесшумно перебирая ногами бетонные ступени. За изгибом лестницы слышались осторожные удаляющиеся шаги, оттуда тянуло ледяным холодом, проникавшим в самое сердце.

На дне подъезда гулко ударило: бум-м! Рогов зацепил обрезком трубы батарею парового отопления. Этот звук всколыхнул душу, как удар колокола. Уже не колеблясь, Галькевич махнул на четвертый этаж, на пятый, застыл перед ведущей к чердачному люку в потолке железной лесенкой. Замка на люке не было. Он хотел лезть на чердак, с разгону схватился за перекладину, но в этот момент Пол Драйден добежал до квартиры Роговых и увидел, что на дверном глазке сидит бабочка.

Он сразу все понял и крикнул Галькевичу:

— Это бабочка, бабочка! Идите сюда!

Подоспел Рогов со своей трубой.

Пол Драйден сказал ему:

— Это бабочка!

Жена Рогова наконец распахнула дверь, но бабочка не улетела, лишь заелозила на глазке, помаргивая крылышками, уже бледными, осенними, со стертым узором и увядшей пыльцой.

Спустился Галькевич.

Пол Драйден объяснил ему еще раз:

— Это бабочка!

Все четверо молча смотрели на нее, никто не улыбался, у Галькевича дрожали ноги. Вдруг Рогов дико захохотал. Он обнял жену, она оттолкнула его, опустилась на корточки, затылком откинувшись к косяку, и заплакала.

Рогов отшвырнул трубу, та с грохотом покатилась вниз по лестнице. На втором этаже загремела щеколда чьей-то двери, кто-то что-то сказал. Галькевич ответил, ему тоже ответили, потом Рогов громко сказал:

— Господи, ну чего мы все боимся? Можете мне ответить?

Никто ему не ответил.

Он сунул руку в карман, некурящий Галькевич спросил:

— Покурим?

Вместо сигарет Рогов достал маленькую коньячную рюмку, показал им, держа ее на вытянутой ладони.

Пол Драйден оживился. Он решил, что вслед за рюмкой появится и то, что можно будет в эту рюмку налить, но внезапно Рогов с силой сдавил ее в кулаке и раздавил, как яйцо.

Жена переполошилась:

— Ты что? Зачем? Что ты хочешь мне доказать? Ненормальный! Покажи! Порезался?

Глаза ее светились.

Рогов развел пальцы с прилипшими к коже стеклянными блестками, стряхнул осколки, почистил ладонь о штаны и поднес к свету. Крови не было.

Он победно улыбнулся.

— Вот видишь? Ни царапины. Значит, я прав.

— В чем? — спросила она.

— Бояться нечего. Понятно?

Она кивнула.

— Дайте мне другую, — закричал Галькевич, — я тоже попробую!

Жена Рогова сказала с гордостью:

— У тебя не получится.

Рогов бережно снял бабочку с глазка вышел на лоджию и отпустил.

Ее сразу смело ветром.

1994

Колокольчик

1 На роковом для многих тридцать седьмом году жизни Лапин впервые за десять лет брака изменил жене, сам же ей в этом признался по инфантильной привычке ничего от нее не скрывать, всю зиму был на грани развода, но из семьи не ушел и весной, искупая вину, при активном финансовом содействии тещи, которую жена держала в курсе событий, купил дом в пригородном селе Черновское, чтобы восьмилетняя Нинка могла целое лето проводить на воздухе. Впрочем, Нинка с ее бесценным здоровьем составляла лишь самый верхний пласт в многослойной толще соображений, лежавших в основе этой акции. После всего случившегося им с женой необходимо было обновить отношения, сменить обстановку. Дом еще не был куплен, а они уже говорили о нем как о месте, где в тишине, в покое, под сенью березовых перелесков, на берегах относительно чистого водохрани-

лища оба сумеют зализать свои раны и, может быть, увидят друг друга в ином, неожиданном свете, возвращающем их во времена юности, нежности, взаимного умиления. Спали они пока врозь, но для дома в Черновском жена приобрела комплект нового постельного белья в цветочек. Эту покупку она, правда, не слишком афишировала, чтобы не спугнуть Лапина самонадеянной уверенностью в неизбежном счастливом исходе. Если же копнуть еще глубже, там жена с тещей рассчитывали хозяйственными заботами отвлечь его от опасных мыслей и разлагающих томлений, а сам он, отчасти надеясь, что так и случится, в то же время втайне надеялся иногда приезжать в Черновское с Таней, хотя за месяц перед тем они твердо решили больше не встречаться и даже не звонить друг другу. Таня настояла, а Лапин как бы смирился, но в глубине души прекрасно знал, что все зависит от него. Как он захочет, так и будет.

Жена быстро поверила в его раскаяние, в его искреннее и глубокое осознание совершенной ошибки, исправить которую окончательно и прямо сейчас ему мешает лишь самолюбие. Теща, мудрая женщина, не пыталась ее разубедить, но не исключала, видимо, что зять связывает с этим домом определенные планы и его рано отпускать туда одного. В конце мая она с Нинкой перебралась в Черновское, а дочь предусмотрительно оставила в городе приглядывать за Лапиным. Он, однако, под разными предлогами ухитрялся ездить на дачу отдельно от жены, не в выходные, а на неделе, когда та работала. Приезжая, под руководством тещи весь день что-то приколачивал, вскапывал, закапывал, строил новый сортир, но вечером, уложив Нинку, спускался к водохранилищу, курил на берегу, думал о Тане, о том, что без нее оставшаяся жизнь будет уже не жизнью, а доживанием. Он ей не звонил, и она за все это время не позвонила ни разу.

В середине июня у него выдалось три свободных дня подряд. Лапин уехал в Черновское, заночевал, а утром прискакала Нинка, ранняя пташка, начала его теребить, стаскивать одеяло, требуя, чтобы он немедленно вставал и куда-то с ней шел, она ему что-то покажет.

— Ну пап! Ну вставай! — ныла она. — Скоро их поведут!

Лапин сонно отмахивался:

— Кого? Куда?

Она сказала с раздражением:

— Ну интернатских же, которые под себя писяются. Я тебе еще вчера говорила. Забыл?

Он забыл, но встревожился, глядя, как она аж подпрыгивает от нетерпения.

— Идем, пап! Опоздаем же!

Интернат при местной школе-восьмилетке располагался рядом с автобусной остановкой. Всякий раз, проходя мимо, вдыхая запах щей из кислой капусты и еще чего-то казенного, казарменного, Лапин испытывал мгновенный стыд при мысли, что за два квартала отсюда нахальная Нинка, раскармливаемая тещей, уплетает постную говяжью тушенку и в один присест может опростать полбанки сгущенного молока. Он хорошо помнил, как в детстве на его глазах нищета откровенная, барачная, которую все воспринимали как должное, сменилась потаенной, почти пристойной или, напротив, горластой, бьющей себя в грудь, так что в обоих случаях Лапин имел право ее не замечать. Здесь же, в часе езды от областного центра, она то ли никогда не исчезала, то ли вдруг с пугающей легкостью вернулась к прежнему облику. Убогость этого мира внутри школьной ограды была разветвленной, сложной и естественной. За ней стояла традиция, уходящая в глубь десятилетий.

Школа носила имя известного в свое время поэта Каминского, чья жизнь была прочно связана с Черновским. Потомственный горожанин, он любил эти места, еще в тридцатых годах построил здесь дом и анахоретом прожил в нем последнюю треть жизни. Теперь дом был превращен в музей. На туристических картах Черновское отмечалось кружочком с вписанным в него треугольником, обозначающим памятники культуры. Студентом Лапин писал о Каминском дипломную работу, и когда теща объявила, что присмотрела дачу не где-нибудь, а в Черновском, у него неприятно сжалось сердце. Случайность, да, но если судьба гонит по кругу, значит, ничего неожиданного в жизни уже не будет. После разлуки с Таней он стал особенно внимателен к таким совпадениям. Всюду мерещились намеки на то, что круг замкнулся, пошло по второму разу.

Они с Нинкой остановились у штакетника, идти во двор Лапин не захотел. Недавно начались каникулы, но детей еще не развезли по деревням, при интернате для них организовано было что-то вроде трудового лагеря. Они убирали территорию, работали на участке, возили и кололи дрова на зиму. Вечерами ребята постарше околачивались возле клуба, помладше — на пристани. Сейчас все собрались во дворе, строились по группам. Передние, самые маленькие, уже топтались вдоль наведенных известью линеек. В их стремлении встать так, чтобы носы кроссовок, тапочек и туфелек ни в коем случае не вылезали на белую полосу и не отступали бы чересчур далеко от нее, в молчаливом этом и мелочно-кропотливом выравнивании жиденьких шеренг, призванных противостоять бесформенному ужасу жизни, клубящемуся по обе стороны утреннего построения, тоже было что-то давно забытое, но родное, чего Нинка в ее возрасте не знала и знать не могла.

Несколько девочек с формами хихикали на скамейке, их сверстники покуривали за углом, но и они энергично прибились к остальным, едва на крыльце показался директор интерната, мужчина лет пятидесяти с темным от деревенского загара костлявым лицом, в белой рубашке навыпуск. Вслед за ним вышел мальчик с барабаном и скромно встал в стороне.

— Смотри, сейчас поведут! — шепнула Нинка.

По дороге она ничего толком не объяснила, не желая предвосхищать события и портить впечатление. Жена тоже проявляла удивительное, поражавшее Лапина терпение, если хотела осчастливить его каким-нибудь сюрпризом. Сам он был на это совершенно не способен. Даже подарки, купленные ей ко дню рождения, дарил в тот же вечер, когда приносил их из магазина.

Дождавшись тишины, директор заговорил бодрым и вместе с тем подчеркнуто негромким голосом. Лапин уловил знакомые, но по нынешним временам слегка архаичные интонации начальственной доверительности: дескать, все мы, тут собравшиеся, взрослые и дети, руководство и подчиненные, выполняем одну задачу. Мы — соратники, нам нужно держаться заодно и стоять крепко, а засадный полк не подведет, озерный лед вот-вот проломится под закованными в железо тевтонами. Содержание речи не имело ровно никакого значения, оно полностью исчерпывалось веерообразным движением загорелой руки, объемлющим дальних и ближних, сильных и сирых, самого директора и двух стоявших поодаль воспитательниц, небо над их головами, землю внизу, шум тополей, стайку воробьев на турнике — всё в пределах облупленного штакетника.

Наконец, рука взмыла вверх, и барабанщик, приосанившись, пустил длинную дробь. Директор посторонился, пропуская вытянувшуюся из дверей интерната странную процессию — двое мальчиков и девочка с мазками зеленки на лице, на годик, может быть, постарше Нинки. Они, вероятно, стояли в сенях, ожидая сигнала. Застучал барабан, и вышли гуськом, девочка — сзади. Все трое тащили полосатые постельные матрасы, скатанные, но не перевязанные.

Один из мальчиков пристроил свою ношу на голове, другой нес перед грудью, обхватив обеими руками, а девочка никак не могла приспособиться. Ей не хватало рук, чтобы обнять этот исполинский ствол с уходящей под облака невидимой кроной. Тяжелый матрас выскальзывал, разворачивался, она то и дело перехватывала его, помогая себе коленкой, останавливалась и отставала. Колени у нее тоже были в пятнах зеленки.

Нинка, стоя рядом, с удовольствием объясняла детали:

— Видишь, пап, они к сушилке идут, у них там сушилка. Видишь?

Лапин тупо взглянул туда, куда она указала. В дальнем конце двора маячил беленый сарайчик под плоской крышей, сакля с длинным жестяным перископом, рассекающим взбитую ветром пену акаций. Теперь он уяснил смысл этой церемонии — несчастные дети ночью обмочились и в наказание перед строем товарищей должны нести на просушку свои мокрые матрасы. Они были ветхие, линялые, в ржавчине от кроватных сеток.

Для мальчиков, похоже, вся процедура давно сделалась обычной. Передний вышагивал равнодушно, второй улыбался и корчил рожи, но девочка то ли не сумела привыкнуть и смириться, то ли сегодня с ней это случилось впервые в жизни. Она прятала лицо в матрас, шатаясь под его тяжестью, ничего не видя перед собой. Летевшая вдогонку барабанная дробь подгоняла ее, лупила по спине, по голым ногам. Лапин почувствовал, что дорога от крыльца до сушилки кажется ей бесконечной.

Он схватил Нинку за плечо, встряхнул.

— Ты как смеешь смотреть на такие вещи? Дрянь!

— Ты чего, пап? — изумилась она, прежде чем зареветь.

Он поддал ей по шее.

— Марш отсюда, паршивка! Чтоб духу твоего здесь не было!

Нинка завыла и покатилась в сторону дома. Директор куда-то пропал, барабан умолк. Лапин перемахнул через ограду и бросился к сарайчику. Мальчики уже разложили на солнце свои матрасы, а девочка не могла найти подходящего места. Он поднял ее матрас, отшвырнул. Запах мочи витал в воздухе, едва ощутимый, невинный, напоминающий о Нинкином младенчестве, о времени, когда у жены была большая красивая грудь.

Девочка застыла под его взглядом. Лапин присел перед ней на корточки, попробовал улыбнуться прыгающими губами.

— Ты не бойся, слышишь? Ерунда, это в детстве со всеми бывает, со мной тоже бывало, и ничего. Не веришь? Зачем мне врать, я уже лысый.

Он весело похлопал себя по лысеющей макушке, повторяя, что с ним, когда был в ее возрасте и даже старше, это бывало много раз, честное слово.

Девочка испуганно шмыгнула прочь, тогда, выпрямившись во весь рост, он заорал ей вслед:

— Они не имеют права! Не смей больше так ходить! Слышишь?

Вокруг собралась толпа, откуда-то сбоку донеслось вызывающе отчетливое:

— Зассанец!

Лапин стоял на нетвердых ногах, чувствуя, что не в силах унять в себе этот рвущийся из горла крик. Он видел перед собой ухмыляющиеся физиономии, но продолжал вопить, как на митинге:

— Как вам не стыдно! Это же ваши товарищи!

Подошел директор.

Увидев его, Лапин зашелся совсем уж по-базарному, как вдруг увидел за оградой Нинку, смотревшую с нескрываемым ужасом, и опомнился. Не хватало еще, чтобы думала, будто у нее отец припадочный.

— Кто дал вам право издеваться над детьми? — спросил он почти кротко. — За что вы их наказываете? За болезнь?

— Никто их не наказывает, — спокойно ответил директор.

— Как же это называется — то, что вы с ними делаете?

— Мы их лечим.

Лапин опять сорвался в истерику.

— А-а, лечите?!

Переждав, директор подтвердил: да, лечение психическим шоком, такой метод. Шокотерапия — единственное, что в данных обстоятельствах способно им помочь, а колокольчик на ночь к ноге привязывать, это всё пустой номер.

Он взял Лапина под локоть и повел к воротам, рассказывая, почему не помогает колокольчик, который, по идее, должен разбудить ребенка, когда при позыве тот начнет ворочаться во сне, своим звоном напомнить ему, что нужно проснуться, встать и пойти в туалет. Лапин слушал оцепенело, не вникая. Представилось, как Нинка лежит в постели с этим подвязанным к лодыжке рыбацким бубенчиком, как обмирает, боясь шевельнуться, чтобы не зазвякал и не услышали на соседних койках. Пока тянулись отношения с Таней и мелькала мысль о разводе, дочь казалась уже совсем взрослой, не нуждающейся в его заботах. Теперь она опять стала маленькой, глупой, беззащитной.

— Жестоко, да, — говорил директор, — но многим помогает. А то ведь сами же ребята житья не дают таким детям, особенно девочки. В матрасах какая-то синтетическая гадость, один обмочится, и во всей палате разит, как в помойке. Они, бедные, на все готовы, лишь бы утром от их постели не воняло. Эта девочка, например, сегодня ночью проснулась, видит, что обмочилась, матрас потихоньку в коридор выволокла, под лестницу его, с глаз долой, простыню прямо на голую сетку постелила и легла. Разве так лучше? В спальных помещениях окна старые, рамы рассохлись, сколько ни замазывай, все равно дует. Стекол, и тех не хватает, я у себя в кабинете два стекла вынул и переставил в спальни, сам сижу с фанерой. Печи плохие, старые, зимой дети простужаются, если спят на мокром, а денег на ремонт нет, материалов нет. Прихожу в контору, прошу цемент. Говорят, цемента нет, бери что есть, и выписывают мне скребки для обуви. Хоть в стену вколачивай и вешайся на них.

— Дождетесь, кто-нибудь еще повесится от такого лечения, — посулил Лапин.

Директор обиделся.

— Да меня этой весной опять егерем в заповедник звали! Мотоцикл казенный, независимость. Не как здесь: ходишь с протянутой рукой, над куском мела трясешься. Каждый год зовут, а я не иду.

— Чего ж не идете?

— Детей жалко, без меня им хуже будет.

— Хуже не будет, — сказал Лапин и, не прощаясь, пошел домой.

2

Нинка с каменным лицом сидела на веранде, трескала яичницу. Теща успокаивающе гладила ее по волосам, одновременно с обычной своей дипломатичностью давая понять Лапину, что она полностью на его стороне.

Настроение испортилось, он без аппетита позавтракал, взял лопату и направился в огород. По пути его перехватил сосед, тоже дачник, пожилой электрик с пушечного завода. Разговаривать с ним не хотелось. Вечерами тот штудировал недавно переизданного Карамзина вперемежку с журналом “Огонек” и норовил уличить Лапина в незнании каких-то исторических фактов. Под тем предлогом, что нужно решить судьбу черемухи на границе их участков, которая якобы затеняла светолюбивые картофельные побеги, сосед выманил его из калитки, заманил к себе во двор и тут неуловимо-щегольским жестом фокусника соткал из воздуха ополовиненную бутылку и складной стаканчик. Против обыкновения Лапин отказываться не стал. Выпили, сосед начал пытать его, знает ли он, отчего умерли Александр Невский, Иван Грозный, Сталин, Косыгин, Андропов и генерал Скобелев.

— Ну? — спросил Лапин.

— Их всех отравили, — сообщил сосед и приступил к подробностям.

Лапин вспомнил, как в день похорон Андропова жена возвращалась из командировки, он встречал ее на перроне, и когда гроб генсека опускали в землю под Кремлевской стеной, внезапно все тепловозы, электровозы, вокзальные сирены испустили трехминутный траурный вой, через минуту обернувшийся абсолютной тишиной, потому что в нем потонули все остальные звуки. Казалось, от титанического усилия ревет кто-то громадный, могучий, ценой рвущихся вен и лопнувших сухожилий поднимающий на себе небеса, раздвигающий горизонты. Лапин слушал со страхом и восторгом, замирая от предчувствий, но за все последующие годы лично с ним случилось только то, что встретил Таню.

Под пение соловья в ветвях той самой черемухи, под рассказ о боярах-отравителях, о Борисе Годунове, который как брюнет был человек хитрый, на фоне июньского неба и тополиной метели перед Лапиным опять встал роковой вопрос — звонить Тане или не звонить?

Он подумал, что на тот случай, если как-нибудь привезет ее в Черновское и она попадется на глаза соседу, надо поддерживать с ним добрые отношения, чтобы не донес теще или жене. Из этих соображений он дослушал мартиролог до конца, по необходимости подавая сочувственные или осуждающие реплики.

— Теперь будешь знать, — удовлетворенно сказал сосед, отпуская его к Нинке.

Та давно ныла за забором, что хочет купаться. То, что произошло два часа назад, для нее было все равно как в прошлом году. Лапин прочел ей короткую нотацию, вылившуюся, как всегда, в частичное признание собственной вины, затем отправились на водохранилище. Купальника с лифчиком у Нинки не было, по дороге начали торговаться: она доказывала, что ей неприлично купаться в одних трусиках, а Лапин говорил, что под майкой скрывать совершенно нечего и после купания в мокрой майке можно простыть на ветру.

На берегу она села, надувшись, в стороне, но он твердо стоял на своем: снимай, иначе в воду не пойдешь. В конце концов Нинка зарыдала, однако соблазн был велик, соседские мальчишки плескались рядом, звали ее к себе. Рыдая, она стянула майку и, согнувшись в три погибели, пряча от нескромных мужских взглядов еле заметные, без малейшей припухлости, пятнышки сосков, юркнула в воду, где тут же забыла о необходимости их прятать, стала прыгать и возиться с мальчишками.

Лапин выбрал местечко почище, разделся, расстелил полотенце и лег. Отсюда хорошо виден был стоявший над самым обрывом дом Каминского, довольно несуразное строение с асимметрично посаженным мезонином, на крыше которого, как капитанский мостик, возвышалась обнесенная перильцами смотровая площадка. Над ней торчал шест с маленьким флюгером.

Каминский был поэт-футурист, фигурировал в столицах, летал на аэроплане, скандалил, красил волосы в зеленый цвет, демонстрируя близость к лесной славянской стихии, но после революции звезда его как-то померкла. Он вернулся на родину, в губернский центр, стихов почти не писал, а еще через несколько лет построил этот дом и переселился в Черновское, лишь изредка наезжая в город. Остальное время ходил с ружьишком, рыбачил, что-то сеял в необъятном своем огороде, завел ульи. Легенды о нем долго волновали областную интеллигенцию. В его добровольном отшельничестве видели пассивный, посильный вызов режиму, и на пятом курсе научный руководитель, доверяя Лапину, веря, что тот всё поймет и сумеет правильно расставить акценты, предложил ему выбрать темой диплома ненапечатанную драматическую поэму Каминского "Ермак Тимофеевич". Поэма относилась к последнему, трагическому периоду его творчества, после которого он уединился в Черновском и замолчал уже навсегда.

По тем временам тема была на грани, если не за гранью, но к работам на местном материале идеологические требования предъявлялись не в полном объеме. Считалось, что сам материал исключает возможность широких обобщений. К тому же региональный патриотизм поощрялся, под этим углом на кое-какие вещи смотрели сквозь пальцы, о чем научный руководитель знал и постарался объяснить Лапину, чтобы тот почувствовал внутреннюю свободу. Иными словами, писать можно было почти правду. Все уже понимали, что Каминский для области слишком крупная фигура, и если нельзя напечатать все им написанное, то нельзя и далее замалчивать его двадцатилетнее предсмертное молчание, наступившее после завершения работы над поэмой "Ермак Тимофеевич". Без ее анализа трудно было осмыслить все дальнейшее.

Поэма, вернее драма в стихах, при жизни Каминского не прошла цензурные рогатки и сохранилась в его архиве. Тогда еще архивом владела вдова, бывшая актриса. Она пыталась продать его в какое-нибудь государственное учреждение, но покупать никто не хотел, а отдавать бесплатно ей было жалко, хотя причиной выставлялась тревога за наследие мужа — мол, то, что достается даром, люди не ценят. Это была кокетливая усатая старуха с синими бородавками, наводившими на крамольную мысль, что поэт сбежал в Черновское не только из-за ненависти к режиму. Два месяца Лапин ходил к ней с цветами, слушал ее рассказы, изучал текст рукописи, черновые варианты и переписку с современниками, состоявшую главным образом из поздравительных открыток. В итоге удалось реконструировать следующее.

После переезда из Москвы жена Каминского поступила в труппу местного театра и здесь, освоившись, подала идею заказать ее мужу поэтическую драму о Ермаке, который издавна входил в пантеон областных героев — из этих краев он и двинулся на завоевание Сибири. Режиссер загорелся, Каминский дал согласие. Поначалу, правда, он ленился, но, получив аванс и потратив его на постройку дома, проникся темой и засел за работу. Жена точила его, чтобы писал скорее. Ролями ее не баловали, а в пьесе собственного мужа она имела право рассчитывать на главную женскую роль. Ей предстояло воплотить на сцене образ девушки-холопки Дуняши, которая бежит от помещика и, переодевшись в казацкое платье, выдавая себя за мужчину, с отрядом Ермака отправляется в Сибирь.

Начал Каминский бодро, но вскоре застопорился. Ермак был задуман как бунтарь, как олицетворение поэтичной вольнолюбивой народной души, как второе "я" самого Каминского, любившего петь под гармонь срамные частушки, однако тот же Ермак являлся проводником колониальной политики царского правительства, завоевывал для московского торгово-промышленного капитала новые рынки сбыта. Перед этим парадоксом Каминский останавливался в растерянности. Мысль его замирала, он срывался в Черновское удить рыбу, там его отлавливала жена, привозила в город и усаживала за письменный стол. Но и тут, не в силах ничего придумать, он постоянно отвлекался, писал стихи то про Стеньку Разина:

Над Москвой-рекою,
Как перо — вран,
Буйную головушку
Обронил Степан.

То про Пугачева:

За Москвой-рекою,
Как перо — вран,
Буйную головушку
Сронил Емельян.

Всё и вся примиряющий сюжетный поворот найден был неожиданно. Под нажимом жены, не желавшей на протяжении всего спектакля ходить в зипуне и кольчуге, Дуняша сняла мужское платье не в финале, как намечалось ранее, а под конец второго акта. Едва этот сын полка, этот бравый юнга с головного струга, сыпавший прибаутками под стрелами врага, явился перед Ермаком в сарафане и кокошнике, дальше всё пошло как по маслу. Хотя роман Ермака и Дуняши лежал у истоков замысла и предполагался, естественно, с самого начала работы, развязка их отношений, недавно еще неясная, тонущая в глубинах магического кристалла, теперь выплыла сама собой.

Каминский набросал план, похожий на балетное либретто, затем потекли ямбы, рифмы, цезуры. Заключительный акт написан был стремительно: Кучум разбит, казаки празднуют победу, Ермак признается Дуняше в любви. Она, тоже любя его, предлагает ему повернуть штыки вспять, превратить империалистическую войну в гражданскую. Скованный сословными предрассудками атаман отказывается, тогда Дуняша вместе с Иваном Кольцо, разделяющим ее убеждения, и лучшей частью отряда уходит от него. Ермак понимает свою ошибку слишком поздно. Любовь потеряна, в Сибири ширится национально-освободительное движение татар, остяков и вогулов в союзе с передовыми русскими зверобоями. Оказавшись меж двух станов, он бросается в Иртыш и тонет.

Драма была готова, начались репетиции, как вдруг выяснилось, что трактовка, предложенная Каминским, устарела. В газетах ругали Демьяна Бедного за его “Богатырей”, режиссер требовал коренной переделки. Жена закатывала Каминскому истерики, потому что, как Лапин понял из случайно оброненной и неловко замятой фразы, ее шантажировал любовник, актер того же театра, которому она через мужа составила протекцию на роль Ивана Кольцо. Ермак нес в себе частицу мятущейся души Каминского, а Иван Кольцо был рупором его мыслей, наиболее положительным из всех персонажей драмы. Именно за такие роли давали ордена, звания и квартиры. Этот актер, видимо, грозил всё рассказать Каминскому, если жена не заставит его взяться за переделку.

В промежутках между скандалами она делала для мужа выписки из научной литературы, раздобыла "Строгановскую летопись" и перекатала оттуда двухстраничную речь Ермака к дружине перед боем при Кашлыке, но Каминский не желал поливать живой водой воображения собранные ею мертвые факты.

Он пребывал в депрессии, пил, играл на гармошке, неделями пропадал в Черновском. Дом, однако, нужно было достраивать. Когда кончились деньги, он опять проникся новым, духовно гораздо более близким ему подходом к теме. Параллельно с возведением мезонина, где должен был разместиться кабинет хозяина, Дуняша пересмотрела свои позиции и поняла, что нельзя пренебрегать внешней опасностью. Из Риги к Кучуму прокрались ливонские немцы, готовые помочь ему с артиллерией, а в лагере Ермака появилась парочка изменников. По ночам, произнося саморазоблачительные монологи, они сверлили дырки в стругах, рисовали и переправляли в Стамбул чертежи государевых земель, посыпали ядом из флакончиков казацкую трапезу. К Дуняше стали подкатываться агенты султана, соблазняя расшитой жемчугом кашемировой шалью, чтобы во сне зарезала возлюбленного.

Этот вариант в театре был одобрен, режиссер очень его хвалил, но от постановки на всякий случай увильнул, не зная, куда еще заворотит в ближайшее время. Тогда-то Каминский с концами перебрался в Черновское и прожил там почти безвыездно до самой смерти. Гости из города у него бывали редко, жена — еще реже. Когда она внушала ему, что неплохо бы что-нибудь написать, напечатать и получить гонорар, он отвечал: “Рука бойца колоть устала”.

Судя по неприятной ухмылке, с которой вдова дважды, с разной интонацией, повторила эту цитату Лапину, относилась она не только к руке и не только к литературе.

3

На обратном пути от водохранилища Лапин отпустил Нинку домой одну, а сам решил зайти в дом Каминского. Внутри он еще ни разу не бывал, всё как-то откладывал до следующего приезда, чтобы осмотреть спокойно, не торопясь.

Нинка ускакала, помахивая полотенцем. Он прошел по краю обрыва, обогнул забор и остановился перед необыкновенно мощными и высокими деревянными воротами. Навершия столбов были вырезаны в виде женских голов с лицами валькирий и зелеными русалочьими волосами, створки разрисованы подсолнухами. Их яркие желтые лепестки контрастировали с мрачно-черными гнездилищами семечек, стебли переплетались, как лианы в джунглях. Лапин знал, что и цветы, и суровые девы на столбах высечены и нарисованы самим Каминским, их лишь подновили при ремонте.

Он постоял перед воротами, воздвигнутыми явно не для того, чтобы через них проходить во двор, и вошел через калитку. Возле нее висела на заборе табличка с расписанием — указывались дни и часы, когда музей открыт для посещения. Как раз было открыто, но посетителей Лапин не заметил. Кругом царила могильная тишина. Он двинулся вдоль дома, ориентируясь по прибитой к тополю жестяной стрелке.

С крыши между окнами спускались изъеденные ржавчиной водостоки с драконьими мордами внизу. Один из драконов сохранил в щербатом зеве обломок языка. В дождь они выплевывали воду, которая затем по желобу из распиленных надвое и выдолбленных бревен текла под уклон, вливаясь в огромную, по края врытую в землю бочку. Оттуда, вероятно, Каминский черпал ее ведрами и поливал огород. Многодневный тропический ливень не мог бы наполнить эту бочку доверху. Видневшиеся в конце огорода пчелиные ульи размерами напоминали домики на сваях. Одноэтажный, если не считать мезонина, с кривоватыми окнами, дом выглядел скромно, даже неказисто, но всё, что его окружало, вплоть до скворечника на тополе и пустой собачьей будки у крыльца, где поместился бы теленок, казалось преувеличенным, раздутым, словно существовало в другом измерении.

Вход был бесплатный, требовалось лишь сделать запись в книге посетителей. Ее принесла полная, деревенского облика, пожилая женщина. Она обитала здесь же, при музее, работая истопницей, хранительницей фондов и сторожем одновременно. Краткий комментарий к экспозиции входил в ее обязанности. Настоящие экскурсоводы приезжали сюда только с группами от туристического бюро. Лапин слышал, что эта женщина жила с Каминским и ухаживала за ним, когда года за три до смерти его разбил паралич.

— Простите, как вас зовут? — спросил он.

— Зинаида Ивановна, — ответила она.

Лапин раскрыл эту амбарную книгу, взял ручку, чтобы написать в одной графе свою фамилию, в другой — место работы и расписаться в третьей, но в последний момент заколебался. Осенью он опубликовал в областной газете большую, на целую полосу, статью о Каминском, наверняка Зинаида Ивановна ее внимательно прочла, вырезала и положила на вечное хранение в соответствующую папочку, как делают во всех таких музеях. Не запомнить имя автора она не могла — так откровенно о Каминском еще не писали. Лапин не оставил камня на камне от легенды о поэте-отшельнике, не желавшем выть с волками площадей, о его молчании как форме творческого поведения в условиях тоталитаризма. Он обошелся без флера, который так любило старшее поколение, в том числе бывший научный руководитель Лапина с его патологическим стремлением все романтизировать, чтобы подсознательно защититься от неприкрытого ужаса жизни и оправдать свою готовность довольствоваться полуправдой. Опираясь на биографию Каминского, на дневниковые записи разговоров с его покойной женой-актрисой, на тщательный анализ ранних стихов и двух вариантов драмы “Ермак Тимофеевич”, Лапин нарисовал совсем иной образ поэта. В молодости — скандалист, маскирующий внутреннюю пустоту литературной эксцентрикой, эпатажем и полетами на аэроплане, в зрелости — конформист, не сумевший приспособиться к существующему режиму исключительно по причине полной бездарности, в старости — убогий пьяница, знаток и ценитель причинного фольклора. В Черновское он уехал только потому, что там, по крайней мере, мог добывать себе пропитание ружьем, удочкой, пчелами и огородными трудами. Единственным его достоинством признавалось то, что под занавес он все-таки осознал собственное ничтожество.

На этой милосердной ноте статья и заканчивалась. Впрочем, по тону, по интонации она была достаточно мягкой, доминировала не язвительная страсть разрушителя мифов, а легкая печаль, ирония и самоирония автора, вспоминающего свои былые иллюзии с грустью, со смехом сквозь слезы, но и с благодарностью тому, кто помимо воли преподал ему этот урок, то есть Каминскому. Таня, прочитав статью, сказала, что теперь понимает, какой он был чудесный, наивный, чистый мальчик.

На всякий случай, чтобы не вступать в объяснения с Зинаидой Ивановной, Лапин обозначил себя девичьей фамилией жены, неуклюже расписался и прошел в светлую, почти без мебели, просторную комнату со свежевымытыми полами и цветами на окнах. Зинаида Ивановна шла за ним, рассказывая, где тут что стояло и лежало, пока не растащили. При жизни поэта здесь была гостиная, дальше — спальня. Там ночевала жена, когда раз в месяц, не чаще, да и то летом, навещала мужа. Сам он обычно ложился в кабинете. Казалось, Зинаида Ивановна нарочно подчеркивает, что супруги спали врозь.

Лапин задержался у витрины, где под стеклом выставлены были написанные хозяином дома книги, затем обошел комнату по периметру, рассматривая висевшие на стенах фотографии Каминского — с родителями и младшими сестрами, в гимназической фуражке, в летных очках, на аэродроме, на поэтическом вечере в Харькове, с Маяковским, еще с Маяковским, с Горьким, с неизвестными одутловатыми мужчинами в полувоенных костюмах, с первой женой, со второй женой, с сыном от первой жены, с дочерью второй жены от первого брака, за рабочим столом, с актерами областного театра, с собакой на фоне строящегося дома в Черновском, с другой собакой, на диване с гармошкой, с ружьем и третьей собакой, в постели с книгой, на столе с подвязанной челюстью и, наконец, опять молодой, веселый, с солнцем в волосах, словно вставший из гроба, чтобы остаться таким навсегда.

Спальню жены еще не привели в порядок, посетителей туда не водили. Вся экспозиция состояла из двух комнат — гостиной и кабинета наверху, в мезонине. Лестница находилась за дверью, Зинаида Ивановна открыла ее сразу же, как вошли в гостиную, будто спохватившись, что не сделала этого раньше. Дверь была откинута к стене и намертво закреплена специальным крюком, но Лапин успел заметить, что на ней линялым от времени маслом и, несомненно, кистью самого Каминского, в юности, как все футуристы, без конца что-то малевавшего, изображен священный лингам шиваитов с пририсованными к нему легкомысленными крылышками и надписью: “Как птичка эта, влетайте в дом поэта”.

Не отважившись замазать этот бледный крылатый пенис, Зинаида Ивановна тщательно берегла его от посторонних глаз. Вообще в ней чувствовалась угрюмость, проистекавшая, может быть, из необходимости быть настороже, отвечая на вопросы экскурсантов, постоянно что-то недоговаривать. Лапин ощутил прилив симпатии к этой женщине. В сущности, в целом свете только они двое и знали правду о Каминском. Жена-актриса умерла в позапрошлом году от инсульта.

Они поднялись по лестнице и вошли в кабинет. Это была большая комната с полукруглым окном, рукомойником у входа, обширной вешалкой и продавленным диваном в углу. Зинаида Ивановна сказала, что на нем Каминский провел последние три года жизни. Вначале у него отнялись ноги, потом всё тело.

В другом углу прозрачная лесенка наискось уходила к люку в потолке. По ней можно было подняться на смотровую площадку на крыше мезонина. Как сообщалось в проспекте для туристов, поэт, в прошлом — летчик, построил ее, чтобы быть ближе к небу, а местные жители рассказывали, что он там установил подзорную трубу на треноге и разглядывал купающихся и стирающих белье деревенских девок. В то время река текла немного в стороне. Водохранилище разлилось позднее, за несколько лет до его смерти.

Лапин подошел к стене с книжными полками и проинспектировал корешки. Издания двадцатых годов и старые журналы вдова еще на его памяти носила букинистам, в остальном библиотека была самая заурядная — русская классика, много Маяковского, много книг местных писателей, краеведение, пчеловодство, раскрытый на титульном листе капитальный труд "Падение крепостного права и развитие капиталистических отношений на уральских горных заводах и соляных промыслах в 60–90-х гг. XIX в." с дарственной надписью автора. На полках лежали минералы, окаменелости, стояло чучело неизвестной Лапину птицы. Он удивился, услышав от Зинаиды Ивановны, что это, оказывается, попугай. Его подарил Каминскому друг юности, привез из Испании, где сражался с франкистами в составе Интернациональной бригады. Попугай прожил в Черновском десять лет, умер и был мумифицирован. После смерти, под руками таксидермиста, он преобразился до полной неузнаваемости. Лишь в стеклянных бусинах, заменивших ему глаза, навеки застыла тоска, с которой этот испанский попка смотрел в низкое северное небо чужбины.

На стене висело ружье, в кресле покоилась мемориальная гармошка. Протянутый между подлокотниками шнурок напоминал, что трогать ее нельзя. Ближе к окну стоял рабочий стол хозяина. Его аскетически пустынная поверхность и выцветшее, но не протертое локтями сукно свидетельствовали, что письменным занятиям Каминский предавался не часто. На столе не было ничего, кроме стакана с карандашами, чернильного прибора из алебастра и раскрытой общей тетради в клеточку. Разворот был исписан аккуратным, без божества, холуйским почерком Каминского. Тетрадь должна была создать впечатление, что поэт лишь ненадолго оторвался от работы и вышел в соседнюю комнату. Тсс-с, дети! Представьте, сейчас он войдет легкой походкой, прискачет на костылях, въедет на инвалидной каталке, приползет, волоча отнявшиеся ноги, чтобы взять перо и склониться над белым листом бумаги. Минута, и стихи свободно потекут: "За Москвой-рекою..."

Впрочем, написано было прозой. Зинаида Ивановна сказала, что это дневник, Каминский начал вести его в старости и вел до тех пор, пока мог удерживать в пальцах карандаш.

Лапин встревожился. Про дневник он никогда не слыхал, сделалось неуютно при мысли, что вот начнет читать и обнаружит, что все-таки есть доля истины в легенде о поэте-авиаторе, который, взлетев к звездам и приземлившись на площади, пропахшей кровью и гниющей с головы рыбой, предпочел затвориться в глуши, в обществе собак, птиц, пчел.

Он обернулся к Зинаиде Ивановне.

— Можно почитать?

Она разрешила.

Лапин присел к столу, возбужденно пролистнул несколько страниц и успокоился. Чушь, календарь погоды, заметки фенолога, котята, мышата, жучки, паучки, смелые выводы типа: совсем как у нас, людей. Или: вот бы нам у них поучиться!

Оглядевшись, он заметил на подоконнике маленький колокольчик. Настроение опять испортилось. Бубенчик был тот самый, рыбацкий, про такие директор интерната говорил, что не помогают.

— Это что? — спросил Лапин. — Зачем?

Зинаида Ивановна объяснила, что Каминский, будучи уже прикован к постели, попросил повесить этот колокольчик на тополе за окном кабинета. Зимой, когда окна закрыты, да и летом тоже, по его звону он узнавал, какая погода на дворе, ветрено ли, как сильно и откуда дует. Если с севера, то дом загораживает, звенит слабее. С востока — сильнее. Вообще летом — сильнее, потому что ветка с листьями, парусит. Как-то он всё научился различать, однажды зовет ее: “Зина!” Сам улыбается. “Слышишь, — говорит, — как странно звякает? Птица, наверное, на ветку села, взгляни-ка”. Она посмотрела, и точно, синичка. А в другой раз кричит: “Зина! Зина!” Прибежала, он весь в поту, плачет:

“Зина! Не слышу!” Оказывается, нитка перетерлась, колокольчик упал, а ему почудилось, что оглох, ничего не слышит.

За окном дул ветер, сквозящие в листве солнечные блики дрожали на обоях, на акварельном портрете второй жены Каминского в костюме Дуняши.

— Он сильно ее любил, — сказала Зинаида Ивановна. — Она была талантливая актриса, красавица.

В ее голосе звучала сталь преодоленных сомнений, эхо давно угасшей ненависти. Лапин вспомнил, что о мужчине нужно судить по женщине, которая его любит. Со стены смотрела другая женщина. Нежное лицо с чуть заметными усиками, никаких бородавок. Волнистые темные волосы текут из-под шлема. Подруга Ивана Кольцо в сияющей кольчуге, с ним она и уходит на запад, где нет ни гармошек, ни частушек, а Ермак строит дом, берет удочку и садится на диком бреге водохранилища. В тишине, под сенью березовых перелесков быстрее рубцуются раны. Уже идут репетиции, печатают афиши. Неожиданно первый вариант отвергнут. Режиссер требует переделки, беглецы трубят в рог, взывая о помощи. Что там гремит рано пред зарею? Атаман заворачивает полки, сжимает перо, чтобы, всё простив, помочь попавшим в беду любовникам. Однако всюду измена, испорчен компас, идут ко дну струги с верными товарищами. Воет, припадая щекой к абразивному кругу, турецкий кинжал. Дуняша накидывает на плечи шитую жемчугом кашемировую шаль. Ермака больше нет, всё кончено, занавес.

Вот о чем он писал! Эзопов язык уязвленного сердца, бедная тайнопись эпохи. Кто мы? Где мы? Куда бредем с мокрыми матрасами под барабанную дробь, в тумане? Чу! Прокричал испанский попугай, колокольчик звенит за метелью.

Внизу ослепительно блестело водохранилище, кричали чайки. Зинаида Ивановна указала на реденькую цепочку лодок, причудливо изогнувшуюся на воде примерно в трех сотнях метров от берега.

— Видите, рыбаки по старому руслу сидят. Тридцать лет как плотину построили, а настоящая рыба всё там, на старом русле. Вроде ей теперь свобода, рыбе-то, жизненное пространство. Плыви, все горизонты открыты, а почему-то не плывет. Он этим фактом очень интересовался.

— Каминский?

— Кто еще? Перед самой смертью и то спрашивал, где рыбаки сидят. Я говорю: “Там же, там же”. А он мне: “Что рыба, что человек”.

Лапин снова придвинул к себе дневник, раскрыв его на последней странице. Здесь в две карандашные строки выморочным расползающимся почерком написано было:

Колокольчик дин-дин-дин.
Слышу, духи понеслися...

Он поднялся из-за стола. Щеки горели. Поблагодарил Зинаиду Ивановну, стараясь не встречаться с ней взглядом, и пошел к выходу. Ком стоял в горле. Две валькирии с зелеными волосами — жена и Зинаида Ивановна — брезгливо смотрели ему в спину. Сзади заливался колокольчик, звенел на ветру, отшумевшем тридцать лет назад, качался на тогда же сломанной ветке, под тенью синицы, спевшей свою жалкую песенку и замолчавшей, когда настала пора выводить птенцов. Не так ли и мы, люди?

Теща в палисаднике поливала цветы, сосед, проспавшись, заботливо отпиливал засохший сук на черемухе, которую утром собирался извести под корень. Возле копошилась Нинка, наполняла опилками кукольную посуду, чтобы варить из них суп для своих бесчисленных детей.

До вечера Лапин, не разгибая спины, трудился в огороде, а за ужином теща вдруг сказала безразличным тоном:

— Почему бы вам не приехать сюда вдвоем?

Имелась в виду жена.

Это засело в нем, как пороховой заряд, но взорвался он позднее и совершенно по другому поводу — не то из-за узбекской мафии, не то из-за выгребной ямы, которую, как внезапно выяснилось, ему предстояло вырыть в следующий приезд. Лапин тут же решил возвращаться в город не завтра, а сегодня, собрал рюкзак, поцеловал Нинку, на этот раз великодушно сохранившую нейтралитет, что было редкостью при его ссорах с тещей, и побежал к автобусной остановке.

Последний автобус отправлялся в десять вечера, но запаздывал. Лапин немного спустился по прибрежному откосу, закурил, настраиваясь подумать о Тане и заранее чувствуя, что сейчас не получится. Июнь, ночи светлые. Безмолвная чаша водохранилища лежала внизу. На том берегу тоже были деревни, доносило по неподвижной воде лай собак, и где-то в низовьях высоко стучала моторка.

В стороне слышались негромкие детские голоса. На скамейке, одним концом врезанной в ствол громадной плакучей березы, сидели двое — мальчик и девочка с пятнами зеленки на лице. Лапин узнал ее и подошел ближе, прячась за кустами. Они его не замечали. Мальчик рассказывал одну из тех историй, какие Нинке строжайше запрещено было слушать. Повествовалось о том, как сумасшедший ученый в подземном бункере изобрел красную машину, механического монстра, похитителя детей, чьи родители работали в ночную смену. Машина привозила детей к нему в подземелье, там он брал из них кровь и откармливал ею крыс. Ученый хотел откормить миллион крыс, а затем выпустить в город, чтобы они всех позаражали какой-то холерой, но милиционеры ему помешали.

Мальчик замолчал. Девочка спросила про участь тех мальчика и девочки, брата и сестры, с похищения которых, должно быть, начиналась история. Лапин понял, что эта девочка хочет быть младшей сестрой этого мальчика. Она спрашивала про него и про себя: где мы? Живы ли? Мальчик милосердно ответил, что в самой дальней комнате милиционеры нашли их полумертвыми от потери крови, но живыми.

Дождавшись счастливой развязки, Лапин хотел уйти, но рассказчик услышал шелест шагов и посмотрел в его сторону.

Девочка спросила:

— Кто там?

— Да этот, лысый. Утром-то базлал.

— А-а, зассанец, — вспомнила она и засмеялась.

Автобус уже подруливал к остановке.

Через пять минут фонарь над ней шатнулся и вскоре пропал за гребнем бегущего под угор вспаханного поля, отодвинулось в темноту водохранилище, повеяло трупным запахом птицефабрики. Затем дорогу обступил лес, и сразу болезненно ощутился уют освещенного салона.

Лапин покачивался на исполосованном ножами сиденье, почти физически ощущая, как сжимается отведенное ему пространство жизни. А ведь еще совсем недавно бывали с Таней такие дни, что, казалось, вот сейчас вздохнешь, и душа, чудесно расширившись в этом бесконечном вздохе, заполнит весь мир, как цыпленок, вырастая, заполняет собой яйцо.

На следующее утро, когда жена ушла на работу, а он завтракал один в пустой квартире, зазвонил телефон.

Лапин подтянул шнур, поставил аппарат на стол и услышал в трубке быстрый голос Тани.

— Если рядом кто-то есть, — произнесла она заранее, видимо, приготовленную и отрепетированную фразу, — и ты сейчас не можешь со мной говорить, скажи: вы не туда попали.

— Вы не туда попали, — сказал Лапин и положил трубку.

1994

Филэллин

1 В начале сентября 1823 года я получил письмо от моего дяди из Руана. В конверт была вложена вырезанная из местной газеты статья, где, в частности, говорилось:

"Филэллины в Европе обретают все большее влияние. Всюду собирают пожертвования, вербовка волонтеров идет почти открыто. Публика читает сокращенного для школьников Геродота, капитана Миаулиса сравнивают с Фемистоклом, султана Махмуда — с Ксерксом и прорицают ему новый Саламин. После того как австрийская армия покончила с революцией в Пьемонте, а французская — в Испании, кое-кто из бежавших оттуда конституционалистов предложил свои услуги греческому правительству в Навплионе. Среди этих болтунов и писак есть двое-трое опытных офицеров, в их числе полковник Шарль-Николя Фабье из Руана.

В 1812 году маршал Мармон из Испании послал его в Россию с донесением Наполеону. Фабье прибыл к императору в канун сражения под Москвой, и хотя не должен был в нем участвовать, с колонной егерей генерала Бонами атаковал русские позиции. Гранатой ему изуродовало ступню, после этого он пошел по интендантской части и, командуя солониной, дослужился до полковника. Позже примкнул к республиканскому заговору против короля, а когда заговор был раскрыт, бежал от ареста за Пиренеи. Там наш храбрый Фабье встал под знамена Риэго, при вступлении в Испанию французских войск сражался с соотечественниками за испанскую свободу, а после падения Мадрида отправился воевать с турками за свободу греков. Фабье всю жизнь ищет высшую правду, чтобы послужить ей своей шпагой, при этом убежден, что правда должна быть гонима, а если она где-то и торжествует, то быстро превращается в неправду. В согласии с этой теорией он не огорчается из-за поражений и не радуется победам, но, как рассказывают знающие его люди, всегда сохраняет завидную бодрость духа, крепкий сон и хороший аппетит. Будем надеяться, что драка башибузуков с разбойниками, в которую ему вздумалось ввязаться на стороне последних, не лишит нашего земляка ни того, ни другого".

Что тут скажешь? Моя биография изложена в основном верно, а что касается стиля, ни один уважающий себя журналист без иронии не напишет и пары слов. Эта братия изображает человечество в виде толпы клоунов, чье единственное занятие — без цели и смысла лупить друг друга кто во что горазд и тем самым доказывать возделывающим свой сад парижским или руанским подписчикам, что мир окончательно сошел с ума. Если раньше буржуа удовлетворялся тем, что считал себя образцом здравомыслия, то теперь ему этого мало — он хочет быть еще и сосудом мудрости.

2 Гречанки не промышляют горизонтальным ремеслом, все жрицы любви в Навплионе — итальянки или славянки. Иметь с ними дело рискованно: много войск, многие заражены. В Испании с этим было проще, а здесь я лишь недавно обзавелся любовницей. Миссис Сьюзен Пэлхем привезла мне письмо от моих лондонских друзей и скоро стала для меня просто Сюзи. На свидания она деликатно приходит в сандалиях, а я надеваю сапоги на высоких каблуках. В этой обуви мы с ней одного роста.

Сколько ей лет, не знаю, на вид около тридцати. Иногда думаю, что все сорок, но кажется тридцатилетней, а в другой день — что чуть за двадцать, но выглядит старше. У женщин иные отношения со временем, чем у нас, они умеют его заговорить, приручить и меряют не календарем, а пережитым счастьем.

В Лондоне супруги Пэлхем состояли в одном кружке филэллинов с моими английскими друзьями. Лорд Байрон — их кумир, Грецию они почитают священной землей, греков — мучениками, страдающими за грехи всего рода людского, как Иисус Христос на кресте. Я бы назвал эту пару паломниками, если бы не количество привезенных ими с собой чемоданов.

Для путешествия Сюзи сшила белое платье *a la* туника, с окантовкой из греческого квадратного орнамента на рукавах и подоле. Она не ожидала увидеть здешних женщин одетыми во все черное и поначалу думала, что они носят траур по павшим в сражениях или казненным турками мужьям, пока число таких вдов не заставило ее усомниться в своей теории.

Мой греческий костюм привел Сюзи в восторг. Она придирчиво оглядела меня со всех сторон, как офицер новобранца, и заявила, что на мне этот наряд смотрится лучше, чем на самих греках. Мистер Пэлхем, к которому она апеллировала, согласился с женой. Он всегда и во всем с ней согласен.

При знакомстве, учитывая британский снобизм, я нашел случай сообщить им о моем баронском титуле — не прямо, а в рассказе о том, как якобинцы шестилетним ребенком засадили меня в монастырскую тюрьму вместе с матерью. Заодно, чтобы избежать сравнений с их божеством, я объяснил причину моей хромоты, добавив, что Байрон хром с детства, телесный изъян выработал в нем тонкость души, а я этим похвалиться не могу.

При следующей встрече мы все втроем зашли в кофейню. На стенах висели портреты Ипсиланти, Каподистрии, Колокотрониса, Миаулиса и Байрона. О нем и заговорили.

Со слов своей лондонской подруги, чье имя лучше было не называть ввиду ее особых отношений с героем этой истории, Сюзи поведала нам, как Байрон в Швейцарии отправился с проводником в горы. Внезапно разразилась гроза. На скользком от дождя склоне приходилось обеими руками цепляться за камни, и хотя он захватил с собой трость, она ему только мешала. Проводник предложил взять ее у него, но Байрон отказался. В трости была спрятана шпага, отдать проводнику трость со шпагой он не мог.

— Понимаете почему? — спросила Сюзи.

— Чтобы проводник его не убил и не ограбил? — догадался мистер Пэлхем.

Сюзи усталым вздохом дала понять, что муж в очередной раз подтвердил ее мнение о нем, однако и мне ничего другого на ум не приходило.

— Вспомните, при каких обстоятельствах это случилось. Была гроза, — подсказала она, ободряя меня улыбкой, но я так и не сумел оправдать ее ожиданий.

Пришлось ей самой раскрыть эту тайну:

— Железо притягивает молнии. Байрон боялся, что из-за шпаги проводника убьет молнией. Он бы себе этого не простил.

Мистер Пэлхем досадливо хлопнул себя ладонью по лбу и стал пенять на свою недогадливость, чем опять вызвал недовольство жены.

— Ты всегда все сводишь к себе самому, — сказала Сюзи. — Речь не о тебе. О нем.

Она отослала его в гостиницу — писать письма, чтобы завтра отдать их на отплывающий в Англию корабль, а мы с ней погуляли по набережной, затем поднялись в гору, к бастионам Паламиди. Сюзи не забывала о моей хромоте и старалась идти помедленнее. По пути я рассказал ей о своем плане сформировать и возглавить батальон из филэллинов, прибывающих сюда со всей Европы. Она слушала с огромным интересом, а когда меня приветствовали двое попавшихся навстречу греков с ружьями и я ответил им на их языке, в ее взгляде появилось благоговение.

— Вы носите сапоги с каблуками, при вашей ноге это мучительно, — сказала она. — Если вы надели их ради меня, больше не надевайте. Я без того смотрю на вас снизу вверх.

Меня ожгло стыдом, но тут же я вспомнил, что любовь к себе пробуждает тот, кто вызывает одновременно и уважение, и жалость, а не какое-то одно из этих чувств.

Внизу белели дома и церкви Навплиона. Его право называться столицей Греции подтверждалось лесом мачт в порту, бело-голубыми флагами на балконах, безумными ценами в кофейнях и количеством бильярдных на набережной. Форт Бурдзи, построенный венецианцами у входа в бухту, оставался темным, маяк на нем должны были зажечь не раньше, чем исчезнет граница между небом и морем. Залив слабо розовел, хотя солнце уже зашло. Его последние лучи, поднимаясь из-за горизонта, озаряли края облаков, а те отбрасывали их на воду. Я атеист, но в этом природном эффекте мне чудится обещание жизни после смерти.

Мы двинулись обратно. Сюзи шла по краю дороги, уступая мне середину. Временами она сходила на обочину, тогда высокая сухая трава, до которой здесь летом не добрались козы, начинала звенеть у нее под ногами. От этого звона у меня щемило сердце.

Быстро темнело, серый редингот и того же цвета шейный платок моей спутницы сливались с сумерками. Казалось, ее лицо плывет над землей само по себе, лишенное не только тела, но даже и шеи, как у ангелов на фресках греческих церквей. Для полного сходства не хватало лишь крыльев.

На угловой башне Паламиди зажгли сигнальный огонь, тьма сразу сгустилась, поглотив очертания стен и крыш ниже по склону. Город не спал, но долетавшие оттуда звуки в темноте отделились от людей и вещей, которые их производили, и зажили собственной жизнью. Они плавали вокруг нас, причудливо сочетаясь, вступая в диковинные союзы, невозможные при дневном свете. Я чувствовал: Сюзи тоже взволнована тем, как полнится ими пронизанный пением цикад теплый вечерний воздух.

Ей захотелось увидеть мое жилище, и я привел ее к себе на квартиру. Первым делом она черкнула записку мужу, попросив меня послать слугу в гостиницу с этим посланием.

— Я написала ему, что вы пригласили меня поужинать. Пусть это будет правда, — сказала Сюзи, щелкая ногтем по стоявшей на окне бутылке вина.

Я выставил на стол хлеб, сыр, аспарагус, миску оставшегося у меня с обеда холодного жареного гороха. Мы полили друг другу на руки водой из кувшина и почувствовали себя как заговорщики, совершающие тайный ритуал братства. За едой моя гостья завела разговор о трагедиях Софокла, точнее, о том, какое именно воздействие оказывают они на душу — возвышают ее или очищают. Я не видел тут особой разницы, но Сюзи настаивала на последнем. Ее аргументы, становясь все беспомощнее, высказывались все горячее, внезапно она встала и поцеловала меня в губы.

Казалось, поцелуй — самое большее, на что мне сегодня можно рассчитывать, но Сюзи, не переставая орудовать языком у меня во рту, начала расстегивать мой жилет. На второй пуговице она бросила это непростое дело и с возгласом “я хочу жить!” стала раздеваться сама.

Некстати вернувшийся слуга был выставлен мною за дверь.

— Она вас не смущает? — спросил я, стаскивая сапог со своей изуродованной ступни.

Сюзи погладила ее с фальшивой ласковостью. Так ребенок в гостях гладит чужую собаку, узнав, что та не кусается, но не до конца этому веря.

Пока мы, продолжая целоваться, подвигались к кровати, она повторила:

— Хочу жить!

Я понимал, что отвечать не нужно, ее слова обращены не ко мне, а к мистеру Пэлхему.

Когда мы наконец рухнули на постель, инициатива перешла ко мне. Я полностью обнажил Сюзи и тут же ею овладел, хотя она и пыталась продлить прелюдию. Вопреки моим желаниям ей удалось лишь задуть свечу, которую я не догадался отодвинуть подальше, чтобы у нее на это не хватило дыхания. Сюзи хотела наслаждаться, не заботясь о том, как она выглядит.

После объятий она осталась лежать неподвижно. Теперь я и без свечи мог рассмотреть ее привыкшими к полутьме глазами. Стоявшее за окном сентябрьское звездное небо давало для этого достаточно света. Я оценил форму ее грудей, но определить, какого цвета соски, розовые или коричневые, при таком освещении было невозможно. Растительность на лобке имела небольшую выемку в том месте, где мысленно проведенная через пупок вертикальная линия пересекает такую же воображаемую черту, соединяющую верхние части бедер. Сюзи лежала на спине, и эта выемка делала ее пушистый треугольник внизу живота похожим на черное сердце.

Вдруг она повернулась ко мне, приподнявшись на локте. Я ожидал лестных для себя интимных признаний, однако услышал две нараспев произнесенные по-английски стихотворные строчки:

— О, прекрасная Греция, плачевный осколок древней славы! Тебя нет, но ты бессмертна!

— Байрон? — спросил я, хотя можно было не спрашивать.

Сюзи кивнула.

Я видел, что ее порыв не исчерпан, она готова продолжить, но не уверена, понравится ли мне такой резкий переход от любви к гражданской лирике.

— Дальше, — предложил я.

Ее голос окреп.

— Кто станет вождем твоих сынов, рассеянных по лицу земли? Кто разрушит их привычку к рабству, длящемуся столь долго? — декламировала она, переводя на французский малопонятные, по ее мнению, слова, но не сбиваясь при этом с ритма. — Сердце тоскует по отчизне, по отчему крову. Оно радостнее бьется возле родного очага, но вы, вечные странники, отправляйтесь в Грецию, бросьте взгляд на страну, такую же печальную, как вы сами. Посетите эту священную землю, эти волшебные пустыни! Только не трогайте обломков ее величия. Пусть ваша рука пощадит землю, без того ограбленную слишком многими.

В последних строчках речь шла о незаконном вывозе из Мореи древностей. Этот промысел объявлен преступным, ослушникам грозят суровыми карами, но в Навплионе обломки барельефов и статуй продают почти открыто. Чиновники участвуют в прибылях от ими же запрещенной торговли.

— Греки — те еще мошенники, не обольщайся на их счет, — умерил я ее элегические восторги.

Она взглянула на меня так, словно услышала непристойность.

— Они, — пояснил я, — испорчены многовековым рабством. Увы, наши греческие друзья жестокосерды, коварны, склонны к воровству и обману.

— Тогда почему ты с ними?

— Потому что они великодушны, честны, отважны, готовы к самопожертвованию.

Сюзи указала мне, что второе противоречит первому. После того как ее тело сошло на животный уровень, она обрела способность мыслить логически. В ее рассуждениях о Софокле никакой логики не наблюдалось.

— Да, — признал я, — но это противоречие заложено в них самой жизнью, не я его выдумал.

Греки — благороднейшие из людей, и они же — разбойники и воры, только не нужно искать среднее между этими противоположностями. Бессмысленно прибавлять одно к другому, а сумму потом делить надвое, надо принять в себя оба тезиса, хотя они исключают друг друга. Я приехал сюда сражаться за свободу людей, которые не так хороши, как мне казалось издали, и должен любить эту страну, помня о той, которую сами греки давно позабыли. Греция учит нас жить с трещиной в сердце.

Я рассказал, как год назад в Пиренеях, на границе Испании с Францией, стоял на Беобийском мосту, а французские войска колонна за колонной шли мимо меня, чтобы задушить испанскую свободу. Я задыхался от стыда, слушая, как солдаты говорят на моем родном языке.

Излив семя, изливаешь душу. Что может быть естественнее? Это две родственные субстанции, но женщины готовы принять их в себя только в такой последовательности. Кто начинает с исповеди, останется и без духовника, и без любовницы.

— В Испании, — говорил я, — я, француз, сражался с французами, за это парижские газеты называли меня предателем родины. Мы привыкли считать родину важнейшим из всего, за что стоит умирать, но у разных народов она разная, и если выше ее ничего нет, где тогда единая для всех людей высшая правда? Ведь не может же ее не быть!

Разве зов крови в наших жилах обречен заглушать голос совести? Когда меня убеждают, что совесть тоже должна иметь подданство, в иных случаях ей лучше помолчать, я чувствую себя волком в собачьей своре.

— Ты как та трость. Внутри у тебя железо, — шепнула Сюзи.

Мы снова сплелись в объятиях, но когда все завершилось, я продолжил с того места, на котором был прерван:

— Нас уверяют, будто лишь общность религии делает людей братьями. Как бы не так! Филэллины стекаются сюда со всего света, среди нас есть французы, американцы, испанцы, немцы, поляки, венгры. Лютеране, католики, безбожники вроде меня.

— Ты атеист? Как якобинцы? — поразилась Сюзи.

— Да, — подтвердил я.

— Якобинцы ребенком бросили тебя в тюрьму вместе с матерью. Неужели это не оставило в тебе следа на всю жизнь?

— Более глубокий след оставило во мне то, что тюрьма была монастырская, — ответил я и закончил мысль: — Мы, филэллины, ищем здесь то место на земле, где правда не будет зависеть от племени, а братство — от религии.

— Вряд ли грекам это нравится, — сказала Сюзи.

Тут же, впрочем, она сообразила, что говорить этого не стоило, и с таким выражением, будто делает мне комплимент, объявила:

— Хочу есть.

Я понял ее мгновенно: она проголодалась, значит, я показал себя хорошим любовником.

Меня это окрылило. Я принес недоеденные хлеб и сыр, и кормя ее с рук, как дитя, упомянул о составленном мною завещании: если я погибну, мое тело не следует увозить во Францию. Оно должно быть предано земле Эллады.

Она перестала жевать.

Едва я подумал, что ей неловко работать челюстями в минуту подобных откровений, как Сюзи нагишом перелезла через меня, взяла со стола мой брегет, но не сумела совладать с крышкой. Я помог ей, заметив, что если она хочет узнать время, могла спросить у меня, я бы сказал.

— И соврал бы. Чтобы я у тебя подольше осталась, — ответила она без тени улыбки.

Сюзи взглянула на циферблат и ахнула. В записке она обещала мужу вернуться час назад.

Я проводил ее до гостиницы, потом с блаженной легкостью в теле шагал обратно и вдруг сообразил, как именно следует составить прошение в Министерство внутренних дел, чтобы оно взяло на себя оплату квартир для прибывающих в Навплион филэллинов. Месяцем раньше я уже просил об этом и получил отказ, а сейчас понял, в чем заключалась моя ошибка. В сорок лет, с изувеченной ногой и сединой в волосах я вновь почувствовал себя молодым. Свобода от тирании похоти обновила мой организм, облегченные чресла позволили мозгу работать в полную силу. Вот, подумал я, аллегория перемен, которые произойдут с Грецией после освобождения от власти султана.

3

На исходе октября мистер Пэлхем начал подыскивать судно, которое по пути в Англию остановилось бы в Пирее, но я узнал об этом случайно, Сюзи скрыла от меня, что они возвращаются домой, а напоследок хотят поклониться священным развалинам Парфенона. Теперь у них появилась такая возможность. Афины в наших руках с весны, но засевшие на Акрополе турецкие сипахи капитулировали всего месяц назад.

Подходящий корабль нашелся, и Сюзи принялась паковать чемоданы. В ожидании разлуки я убеждал себя, что это не повод для страданий, все равно наш роман неотвратимо близится к финалу. Мы продолжали встречаться, но я со своей трещиной в сердце стал ее утомлять, ей хотелось чего-то более цельного.

За неделю до отплытия супруги Пэлхем в плохонькой коляске, за которую с них содрали как за королевскую карету, отправились в Аргос —

осматривать тамошние руины и любоваться видами. Я не напрашивался к ним в попутчики, а сами они меня не пригласили. Для охраны в пути Сюзи наняла двоих расфуфыренных, как на свадьбу, усатых бездельников — из тех, что целыми днями околачиваются возле гостиницы в надежде что-нибудь выклянчить у постояльцев. Вместе с арендованными для них лошадьми эти молодцы обошлись мистеру Пэлхему весьма недешево, вдобавок львиную долю денег вытребовали авансом.

Один, некто Ангелос, раньше жил на Корфу, с грехом пополам изъяснялся по-английски и пленил Сюзи повестью о том, как зарезал изменившую ему красавицу жену, после чего вынужден был бежать из родных мест, но унес в душе нетленный образ покойницы, которую продолжает верно любить. Тут нередко рассказывают такие истории туристам, однако Сюзи считала себя единственной иностранкой, кому довелось услышать подобное признание, и гордилась, что этот малый открыл ей свое исстрадавшееся сердце. Напрасно я просил ее быть с ним осторожнее.

“Мой трижды перегнанный Ангелос”, — с нежностью говорила она о нем, как говорят об очень близком человеке.

Это простонародное греческое выражение Сюзи от него же и узнала. Оно применяется к тем мужчинам, кто многое в жизни испытал и тройной перегонкой достиг крепости чистейшей анисовой водки.

Греки — превосходные моряки, но никудышные наездники. Когда утром я пришел к гостинице проводить Сюзи, Ангелос в попугайском албанском костюме воинственно гарцевал около нее, сидя в седле, как собака на заборе. За спиной у него висело разбойничье ружье с обрезанным стволом.

— Видишь? — указала Сюзи глазами в его сторону. — Он выглядит гораздо естественнее, чем ты.

— Да, — согласился я, — греки любят одеваться как албанцы. У них это модно.

Оказалось, я все не так понял. С недавних пор я всякий раз неправильно ее понимал.

— Селезень наряднее утки, — пояснила она. — Почему же в Европе не вы нас, а мы вас должны заманивать своими перышками? У птиц самцы завлекают самок ярким оперением, так же у албанцев и греков: мужчины носят цветное платье, женщины — темное.

— Это мусульманский обычай. Те и другие переняли его у турок, — рассеял я ее иллюзии насчет близости Ангелоса к природе.

Подсаживая Сюзи в коляску, я повторил, что не доверяю ему и нахожу эту поездку опасной.

— Я хочу жить, — ответила она.

Слова, которые я слышал от нее в других обстоятельствах, меня ранили. Думаю, ей того и хотелось.

Глаза у нее деловито затуманились. Я догадался, что Сюзи вживается в роль вечной странницы, готовясь, как научил ее Байрон, сразу по выезде из Навплиона кинуть взгляд на страну, такую же печальную, как она сама.

Лошади тронулись. На прощание мистер Пэлхем приподнял фуражку, но Сюзи даже не соизволила помахать мне рукой, не говоря уж о воздушном поцелуе. Она упоенно кокетничала с Ангелосом, скакавшим не позади коляски, а рядом с ней. Зарезанная им жена, чей образ неугасимо сиял в его сердце, придавала этому флирту особую пикантность.

Через минуту все пятеро, считая кучера, скрылись за поворотом дороги, но далеко они не уехали. На следующий день я узнал, что мои предчувствия оправдались.

В паре миль от Навплиона у коляски соскочило колесо. Никто не пострадал, но кучер не сумел приладить его на место. Он отправился за помощью в соседнюю деревню, тем временем путешественники перекусили, и Сюзи изъявила желание прогуляться по окрестностям. Муж с Ангелосом составили ей компанию. Второму охраннику велели сторожить коляску и лошадей.

Неподалеку простирались обширные болота. Где-то здесь Геракл сражался с Лернейской гидрой. От Аргоса, в котором правил пославший его на этот подвиг царь Эврисфей, сюда можно за день дойти пешком.

Постепенно Сюзи с Ангелосом начали отставать от мистера Пэлхема, но находились еще в поле его зрения, когда ему попался одинокий дуб-прунари с гнездом аиста в развилке засохшей вершины.

Хозяин гнезда был дома. Почему в самом конце октября он вслед за собратьями не улетел в Египет, осталось тайной. То ли редкостно теплая осень испортила устроенный в нем природой календарь, то ли греческие лягушки аппетитнее тех, что обитают на берегах Нила, и ему жаль было с ними расставаться.

Мистер Пэлхем позвал жену, чтобы показать ей свою находку. Сюзи неохотно явилась на зов, но на месте поняла, что позвали ее не зря. Она вслух стала восхищаться чудесной птицей, вдруг за спиной у нее грохнул выстрел. Зашумела листва, подстреленный аист тяжело шлепнулся на землю.

Вскрикнув, Сюзи в ужасе закрыла лицо ладонями, а мистер Пэлхем обернулся, увидел, как Ангелос опускает дымящееся ружье, и в ярости огрел его по голове тростью. Тут же он получил ответный удар — ножом в живот.

Ангелос бросился к своей лошади, отвязал ее, вскочил в седло и был таков. Напарник даже не попытался его задержать. С помощью Сюзи он перетащил раненого к дороге, но тот скончался раньше, чем появился кучер с деревенским кузнецом. Коляску починили, к вечеру мистер Пэлхем вернулся в Навплион мертвым.

За неимением англиканского кладбища мы погребли его на католическом, в окружении венецианцев, когда-то владевших этой частью Греции. Я взял на себя все связанные с похоронами заботы, Сюзи — все расходы.

С кладбища приехали в гостиницу. Прежде Сюзи называла ее словом *хан*, не подозревая, что оно позаимствовано греками у турок, но теперь избегала его употреблять. Все греческие слова, которые она усердно заучивала и которыми щеголяла в разговоре со мной, исчезли из ее словаря.

Поминальный стол был накрыт на двоих. Мы выпили вина, и Сюзи тут же начала упрекать меня за то, что я не воспрепятствовал их поездке в Аргос под конвоем этих негодяев. Попытка напомнить ей о моих предостережениях еще и подлила масла в огонь. Оказалось, мне как мужчине следовало действовать не уговорами, а хитростью, в крайнем случае — применить силу.

Я с готовностью признал свою вину. Сюзи немного успокоилась и задала вопрос, которого я давно от нее ожидал:

— Почему Ангелос убил аиста?

— Ему не понравилось, что ты им восторгаешься.

— Вот как? — заинтересовалась она. — Приревновал меня к аисту?

— Нет, — разочаровал я ее. — Просто греки недолюбливают аистов. Аист считается турецкой птицей. Турки относятся к нему с почтением, потому что он якобы каждый вечер напоминает им о необходимости вознести хвалу Аллаху. На закате аист поднимает голову к небу и начинает громко щелкать клювом. Постучит-постучит, перестанет, опустит голову, подождет, затем снова поднимет и снова застучит. Точь-в-точь как муэдзин, сзывающий правоверных на вечернюю молитву.

— И за это Ангелос его застрелил? — усомнилась Сюзи.

Я объяснил ей, что когда воюют не один монарх с другим, как это бывает в Европе, а народ с народом и религия с религией, такая война возвращает человека в первобытное состояние. В те времена каждое племя имело своего бога в обличье какого-нибудь зверя или птицы, и воины одного племени охотились на покровителей другого, чтобы лишить врага его защиты.

— Ангелос убил не только аиста, — сказала Сюзи.

— Еще и жену, — не удержался я, чтобы не упомянуть об этой милой подробности. — Твой муж знал, с кем имеет дело. Не надо было бить его тростью. Греки — гордый народ.

— Ненавижу их! — вырвалось у нее.

Я ответил, что если не брать в расчет религию, они мало чем отличаются от турок. Ненавидеть можно лишь тех и других вместе, но это будет означать, что она ненавидит все человечество. В любом народе такая война пробуждает все самое худшее.

— Да, но не все при этом превращаются в дикарей, — возразила Сюзи.

— Знаешь, почему греки часто кажутся нам дикарями? — спросил я, не без труда одолев искушение припомнить ей, что не далее как три дня назад она восхищалась их близостью к природе. — Представь себе человека, который всю жизнь был скован по рукам и ногам и внезапно освободился от цепей. В первую секунду собственные члены кажутся ему необыкновенно легкими, с непривычки он совершает ими дикие движения.

Эта популярная среди моих здешних друзей метафора утешала нас в наших разочарованиях. Сейчас я использовал ее с той же целью и заключил:

— Мы, филэллины, верим: это скоро пройдет.

Сюзи без ножа принялась чистить апельсин, яростно сдирая с него кожуру. Капли сока, брызжущие у нее из-под ногтей, алмазными искрами вспыхивали на солнце. Одна капля угодила ей в глаз. Она зажмурила его, но другой смотрел на меня так, что мне сделалось не по себе.

— На твоем месте я бы не называла себя филэллином, — сказала Сюзи, осторожно открывая наконец пострадавший глаз и кладя в рот дольку апельсина. — Филэллин — тот, кто любит греков. А ты разве их любишь?

— Разве нет?

— Нет, ты любишь свои мечты о них. Но если ты в постели, перед сном, начнешь распалять себя мечтаниями обо мне и рукой ублажать свой орган, это же не значит, что ты любишь меня. Это значит, ты любишь себя.

Я не спорил, и она сменила тему:

— Ты жалуешься, что греки не дают тебе офицерской должности, так?

— Да, они не доверяют иностранцам.

— Но ведь ты дворянин, у тебя должны быть имения во Франции.

Я не понял, как это связано с предыдущим вопросом, но ответил:

— Есть одно. Под Руаном.

На лице у Сюзи появилось такое выражение, будто ей сдали на руки козырного туза.

— Что мешает тебе его продать? На вырученные деньги ты мог бы сформировать батальон или полк, как Байрон, и командовать им в свое удовольствие.

Я сказал, что идея хорошая, но осуществить ее невозможно. В Испании я воевал против французской армии, на мое имущество во Франции наложен секвестр как на собственность государственного преступника.

— На какие же средства ты живешь? — осведомилась она.

Я объяснил, что состою на службе у греческого правительства, обучаю волонтеров военному делу. Правительство выплачивает мне жалованье. Это мизер, но во Франции у меня есть небольшая пенсия. Перед тем как бежать в Испанию, я написал доверительное письмо на имя моего руанского дяди. Он получает ее и раньше переводил мне в Мадрид, а теперь — в Навплион. Пенсии с жалованьем хватает на жизнь. На полк не хватит.

— То есть как? — поразилась Сюзи. — В Испании ты воевал против своего короля, а он продолжает платить тебе пенсию?

— Она заслужена кровью. Король не вправе ее у меня отобрать.

— И ты, республиканец, не стыдишься брать у него деньги?

— Это деньги от налогов, которые платит народ, — оправдался я. — А французский народ сочувствует греческому.

— Не настолько, чтобы содержать тебя. Греки правильно делают, что не позволяют тебе над ними начальствовать.

— Почему? — изумился я.

— Плохой любовник не может быть хорошим офицером.

Я промолчал. Ясно было, что последние слова адресованы не мне, как не ко мне в первый вечер нашей любви обращено было ее восклицание "я хочу жить". Ей важны не мои отношения с королем и греками, а ее — с покойным мужем. Унижая меня, она выслуживалась перед ним, чтобы его ревнивый дух удовлетворился этой жертвой и оставил ее в покое. Суеверный человек обречен быть несчастным, но обратное умозаключение тоже верно.

У меня оставался единственный способ освободить Сюзи от власти мертвеца — возвратить ей то состояние души, с каким она сюда прибыла.

— Я родился во Франции, бывал в Североамериканских Штатах, в Англии, в Испании, в России, — заговорил я, вновь наполняя бокалы. — На моей родине есть равенство перед законом, но нет ни свободы, ни братства. Англия — свободная страна, зато братство и равенство в ней отсутствуют. Америка соблюдает два из трех этих великих принципов — о братстве там не может быть и речи, а в России только оно и есть. В Испании нет ни того, ни другого, ни третьего.

Сюзи с подчеркнутым безразличием жевала апельсин и глядела в окно.

— При поддержке филэллинов Греческая республика воплотит в жизнь все три, — закончил я свой монолог. — Приезжай через несколько лет, убедишься сама.

Мне с трудом удалось поймать ее взгляд.

— Ни о чем не жалей, — сказал я и протянул ей бокал с игравшим на солнце вином.

— Уходи, — не притрагиваясь к нему, попросила Сюзи.

Повторять ей не пришлось. Я поставил на стол предназначенный для нее бокал, залпом осушил свой, поклонился и вышел. Больше мы не виделись. Я дважды посылал ей записки с просьбой о встрече, но ответа не получил. Через четыре дня гидриотский корабль увез ее в Англию.

Я смотрел ему вслед, пока он не скрылся за фортом Бурдзи, но чувствовал только ноющий от холода зуб, сырость в прохудившемся сапоге, привычную изжогу от давно осточертевшего жареного гороха, а поверх этих чисто телесных ощущений — бесконечное одиночество. Будь у меня возможность вернуться во Францию, я уехал бы отсюда еще летом. “Тебе просто некуда податься, вот почему ты здесь”, — однажды сказала мне Сюзи. Она быстро научилась ковырять мои язвы.

Вдруг наступила осень, запах гниющих на берегу водорослей говорил мне о том, что всему своя пора, эта женщина уже никогда не будет такой, как в ту ночь, когда голая, с еще влажным мехом между ног продекламировала: “О прекрасная Греция, плачевный осколок древней славы! Тебя нет, но ты бессмертна...”

В тот же вечер мне на квартиру принесли запечатанный пакет из гостиницы. Оказалось, Сюзи поручила хозяину доставить его мне, но не раньше, чем корабль выйдет из гавани. Внутри я обнаружил клок ее лобковых волос, перепачканных засохшей, темной менструальной кровью.

И всё!

Ни письма, ни записки. Лишь отхваченные ножницами волосы, память о ее черном сердце внизу живота.

Она не написала ни слова, не считая моего имени на пакете, но я без труда разгадал заключенный в ее послании смысл. Бессловесное, как послание скифов царю Дарию, оно содержало два слоя значений, поверхностный и более глубокий.

В первом Сюзи извещала меня, что наша любовь не дала плода, ее чрево пусто, во втором — что я бесплоден во всех отношениях, и не только она сама, но и Греция после встречи со мной останется такой же, как была.

2013

Литературно-художественное издание

ЛЕОНИД ЮЗЕФОВИЧ

МАЯК НА ХИЙУМАА

16+

Главный редактор Елена Шубина

Художник Андрей Бондаренко

Редактор Алла Шлыкова

Корректоры Андрей Иванов, Лидия Китс

Младший редактор Вероника Дмитриева

Компьютерная верстка Елены Илюшиной

Подписано в печать 06.07.2018. Формат 84×108/32.
Печать офсетная. Усл. печ. л. 16,8.
Тираж 5000 экз. Заказ 6306

ООО «Издательство АСТ»
129085, г. Москва, Звездный бульвар, дом 21, строение 1, комната № 39.
Наш электронный адрес: **www.ast.ru**
E-mail: **astpub@aha.ru**

«Баспа Аста» деген ООО
129085, г. Мәскеу, жұлдызды гүлзар, д. 21, 1 құрылым, 39 бөлме
Біздің электрондық мекенжайымыз: www.ast.ru
E-mail: astpub@aha.ru

Интернет-магазин: www.book24.kz
Интернет-дүкен: www.book24.kz
Импортёр в Республику Казахстан ТОО «РДЦ-Алматы».
Қазақстан Республикасындағы импорттаушы «РДЦ-Алматы» ЖШС.
Дистрибьютор и представитель по приему претензий на продукцию в Республике Казахстан:
ТОО «РДЦ-Алматы»
Қазақстан Республикасында дистрибьютор
және өнім бойынша арыз-талаптарды қабылдаушының
өкілі «РДЦ-Алматы» ЖШС, Алматы қ., Домбровский көш., 3«а», литер Б, офис 1.
Тел.: 8(727) 2 51 59 89,90,91,92
Факс: 8 (727) 251 58 12, вн. 107; E-mail: RDC-Almaty@eksmo.kz
Өнімнің жарамдылық мерзімі шектелмеген.

Өндірген мемлекет: Ресей
Сертификация қарастырылмаған

Отпечатано с готовых файлов заказчика
в АО «Первая Образцовая типография»,
филиал «УЛЬЯНОВСКИЙ ДОМ ПЕЧАТИ»
432980, г. Ульяновск, ул. Гончарова, 14

Леонид Юзефович

ЗИМНЯЯ ДОРОГА

Генерал А.Н.Пепеляев и анархист И.Я.Строд в Якутии. 1922–1923 годы

Книга Леонида Юзефовича "Зимняя дорога" рассказывает о малоизвестном эпизоде Гражданской войны в России — героическом походе Сибирской добровольческой дружины из Владивостока в Якутию в 1922–1923 годах. Книга основана на архивных источниках, которые автор собирал много лет, но написана в форме документального романа. Главные герои этого захватывающего повествования — две неординарные исторические фигуры: белый генерал, правдоискатель и поэт Анатолий Пепеляев и красный командир, анархист, будущий писатель Иван Строд. В центре книги их трагическое противостояние среди якутских снегов, история их жизни, любви и смерти.

"Зимняя дорога" удостоена премий "Большая книга" и "Национальный бестселлер".